劉黎兒

女人25後

Contents✱目錄

目錄✱Contents

Part Three 特選純愛

Contents✱目錄

Part Four OL的理想與現實

目錄 Contents

Part Five

幸福方程式

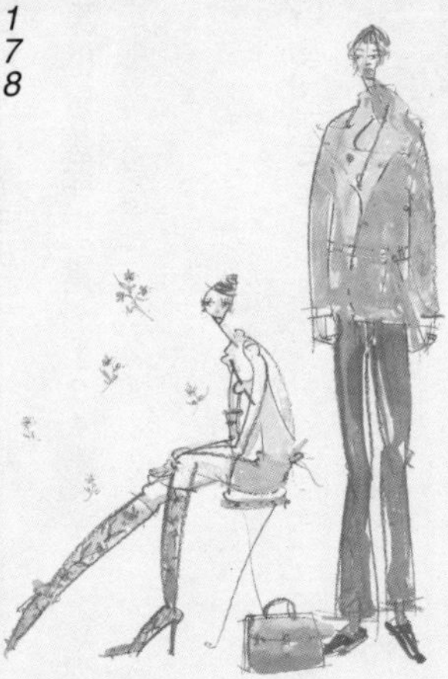

自序 25歲後，女人才開始有自己

女人25後，嗯，處於這個階段的女人很多呢！我也是其中之一！我周遭的許多女人也都是「25後」呢！我自己很喜歡用25歲，作女人的大分水嶺，因爲過了25歲，就沒什麼好計齡的。

在25歲之前，大家都差不多年幼無知；在25歲之後，大家都差不多成熟。過了25歲，眞正的「我」、眞正的「自己」才開始呢！自我流的生活方式以及追求幸福的方法，都是從此時才開始培養呢！

或許30而立，不過現代女人資訊豐富多了，25歲已經開始進入社會有幾年了，大概也有些與異性交往的經驗，對於自己、別人以及社會都開始有些認識，比較不容易受別人擺佈，有些自己的主張，而且最重要的，大概是已經過了第一次想結婚的時機，所以不是已婚，便是對於是否在自己鮮嫩的時機結婚，已經不是那麼在乎，所以是作爲女人開始出現點餘裕的時代的揭幕了。

25歲不是絕對的數字

當然25歲不是一個絕對的數字，有人的25歲來得很快，有人大器晚成。人有五官六感的，如果不是有一定的經歷體驗，這些感官都不會眞正開竅。像我自己小時候不敢吃蔥，可是突然有一天體悟到自己一直認爲是很腥的蔥，原來有去腥的作用，開始體會許多香料存在的奧妙。

事實上，許多食物乃至人間事物都有類似的道理。我自己在25歲之前完全不敢吃生魚片，但是在開始破戒之後，壽司已經成爲我認識日本美食以及文化的重要踏腳石。

不僅味覺如此，其他包括對自己愛情、人生的看法，哪一天突然都會開眼、開竅的。但是這些機會要發生在25歲之前，是不大可能的。

女人總是要過了25歲，才會明確知道自己理想的男人是什麼樣的男人，自己希望是什麼樣的男人來陪伴自己，而不會在乎在別人眼中那男人是什麼樣的男人，也不會因爲自己聽到關於男人的風評而動心或是動搖信心。

那是因爲過了25歲後，女人才開始有自己，不大會隨便羨慕別人。過了25歲後，女人隨時會有許多不可思議的瞬間體驗，像是哪一天突然發覺去看許多人生教科書是毫無意義的。因爲人生其實是沒有榜樣的，如果有一百個人在，每個人的面貌、性格等全部不同，生活以及人生都有一百個樣子，也就是「百人百樣」，自己是這個世界上獨一無二的存在，自己只要依自己的方式來經歷人生即可，不必逞強去過很偉大的人生，也不必在乎別人的掌聲，沒有什麼人生是特別高明的。這是非常簡單的道理，但是不過25歲的話，即使想到也無法相信呢！

像很性急的我，眞的連上廁所都比別人快半拍，常常會弄錯；然後沒有太大的恆心固定做同樣的事，對於新奇的事，眼神很快便會轉過去；欠缺耐心與毅力，又很健忘；這就是我，我只要拚命這樣活，就會活出自己的路來。

我的缺點，也是我，是別人沒有的呢，要趕快敝帚自珍！突然有一天，我開始這樣想，便覺得人生很快樂，突然肩膀上都輕鬆起來了。我的雜家作爲，居然在這個世界活得很自在。如果我是那種我自己欣賞的孜孜努力的「職人」

（師父）氣質的話，說不定我會稍微有點成就，不過那就不是我，就讓世界留有一些會讓我稱羨的人吧！

有自我流的人生是最美的

開始有自我流的人生是最美的開始。許多人來問我文章如何寫，我雖然寫得不好，不過即使覆名，也一看就知道是我的文章。我都會說，其實文章沒有什麼技巧，文章不是用技巧在寫的，不是模仿別人寫或是堆砌華麗文字就是，而是自己寫自己想寫的。人生當然更是這樣。但是愛情、人生，如果不是自己體驗了一段之後，不敢相信只是活出自己就可以了。

現在25歲之後的女人，其實大部分都已經有這樣的智慧，都比我早點想通多了。所以現在不論在東京或是台北街頭，去問25歲以後的女人，如30歲等，都沒有人想回到20歲的青春時代。大家都對於擁有較多的思想，乃至經濟自由的現在的自己，是比較滿意的。

常常有些年紀大的女人會羨慕現在年輕的女人好自由，我都會覺得她們大概過了25歲之後，也沒有好好活出自己。其實在25歲之前，女人都不斷在跟自己的自由搏鬥，包括穿衣打扮的自由、選擇學校、職業的自由，以及感情的自由等。即使沒有人束縛自己，也常常不真正知道自己適合當什麼，會很羨慕別人很小就能立志要做什麼，或是篤定要去愛某個男人。25歲之前，常常只是呆想，即使時間經過，也得不出結論的時候很多。

現在日本25歲還沒結婚的女人超過一半，這些沒結婚的女人並不是就否定婚姻的。只是自己的人生，不見得需要與男人成套來決定，不結婚現在也能得到相當的社會發言權，因此沒有必要匆忙與不適當的男人結婚而已。過了25歲，反而對結婚的限制看得比較開，所以也就能更自由地戀愛，連完全不適合結婚的對象都可能變成戀愛的對象，如已婚男人、完全沒有收入的藝術家等。

當然過了25歲的女人，逐漸有了自己，所以跟男人交往也比較重視自己的自由，擔心遭到束縛，所以對於會死纏活纏的男人有點怕。現在是女人擔心男人在分手時哭泣的時代了，許多女人在男人求婚時，反而還不想結婚，所以覺得分手也可以。男人哭了，被哭的女人也一樣不好受的，讓女人有許多罪惡感，所以會讓女人對於婚姻或是跟男人交往都愼重起來。

男人反而很容易因爲年齡「需要安定」，或是「需要已婚者的社會地位」，而急於結婚。但是女人已經比較不會輕易因爲社會理由而結婚。不過，當然也要小心自己太愼重，而被摔在「戀愛圈外」呢！所以平時還是多多看點愛情小說、愛情電影，培養自己的戀愛體質，才不會好的愛情在面前也都錯過呢！

女人不見得想落單，所以還是需要男人。25歲以後的女人，需要的男人是能聽自己訴說苦惱；在自己厭惡自己時，那男人會說：「那就是妳可愛的地方」。讓女人得救；然後自己的弱點全部出示給對方看也無所謂；這樣的男人居然都是年紀大些或是小些的男人呢！

我自己離開25歲有一段距離，不過我永遠覺得自己只是過了25歲。那以後，我幾乎都差不多，能成長的也有限，只是越來越過著自我流的人生。有點努力、有點任性，容許許多矛盾出現在自己身上，這大概是最寫意不過的「黎兒流」吧！

Part One 人生體驗說

過了25歲後，女人隨時會有許多不可思議的瞬間體驗。
突然有一天發覺去看許多人生教科書是毫無意義的。
因為人生其實是沒有榜樣的。

女人無法愛同年男人

女人沒法愛同年男人的一個重要原因，大概是現在的女人都太有元氣了，對於工作、愛情以及生活消費都非常貪心，而且吸收力很強。相對於此，同年男人沒有行動力的模樣，很快便會被看穿，不會覺得他們有什麼魅力。

時代不同，每個時代的女人的偶像標準都不同。我的朋友在日本的大醫院做事，發現25歲左右的年輕護士的偶像，都是45歲的中年醫生。年輕的實習醫生原本是自己結婚的理想對象，但是護士們都興趣缺缺，因爲認爲沒有大人味。年輕醫師自迷、幼稚，讓女人很難發現魅力。當然45歲的好男人，早已經是別人的居多。

不僅在醫院裡如此，現在一般女人眞的無法愛同一世代的男人。許多女人都說：「那還不如愛比自己小的少年郎算了。」像同學般的同年男人，爲何如此不吃香呢？反而是像老師般或是像學生般的男人，還比較受歡迎呢？

年輕女人因爲還有相當多的選擇餘地，所以常常會好好觀察男人。如果符合自己的價值觀，則根本不顧年齡以及婚姻等條件拚命去接近。日本在二〇〇〇年的國勢調查顯示：日本25歲到29歲的女人，大概有54％的人都是未婚的，而且如果不在乎是否以結婚爲前提的話，許多女人根本不考慮交往的對象年齡，也比較不會鬼叫「沒有好男人」。但是如果問起大家爲何不結婚的話，都是因爲找不到適當的結婚對象。

當然現在女人不急於結婚，與單身好處多多有關，像可以當寄身貴族，暫住娘家，讓母親代爲煮飯、洗衣，出遠門時讓姊姊代爲打包，連姊姊都還沒嫁，自己更不必急。

但是這些經濟上獨立的非婚女人，並非眞的不想結婚，而只是不急著結婚，認爲「總有一天會結婚」，以及「將來總是想要小孩」。所以如果從女人的角度而言，非婚化、少子化，其實都與女人的獨立沒有關係。眞正的原因是，欠缺讓女人下定決心想結婚的男人，所以將結婚的目標年齡無限延長，在此之前，只要戀愛就好。

25歲是重要的分水嶺

這種現象以25歲為重要的分水嶺。25歲前，對於男人還會看看他們的學經歷以及頭銜；過了25歲，便完全不在乎了。與外表的裝飾無關，會比較在乎男人是否合乎自己的品味，結果不是交到比自己年紀、收入都少的男人，就是很容易愛上大自己十幾歲的男人，不巧對方是已婚男人的情形也不少，也就是過了25歲的女人，幾乎完全是以自己的標準在選男人，而與周遭身旁的好惡評價無關。

女人對於男人的要求，通常不是希望透過男人為自己打開一扇窗，讓自己多一個看世界的角度以及可能性，便是希望能與男人成為同步邁進、互相切磋的好伴侶。前者是比自己年長的男人，年長的男人往往肯聽女人說話，並且給予適度的建議，不會強制要女人聽自己的，總是扮演支持者的角色，讓女人覺

得很安心、放心，而且藉由年長的男人得以到未知的世界去探險。

許多年紀稍長的男人不知道現在年輕女人的主動性，常常會自己去接近，像好色老爹般，惹人討厭。其實有時看到還不錯的女人，從遠處眺望，機會自然會來的。如果男人眞的是好男人的話，像大人的男人，反而消極的模樣會讓女人覺得有點魅力。不過是裝模作樣的，是不管用的，其實女人還滿精明的。

此外，能與自己以同樣節奏前進的男人，很意外地不是同年的男人，而是比較年輕的男人。年輕的男人才會跟自己一樣不在乎周遭的看法，而且還維持純粹的好奇心。而且因爲年輕，所以很有活力，能陪自己四處去，感性豐富。年輕人萬事都覺得無所謂，一切大膽積極，所以能讓女人覺得自己從男人處吸取到能源。

反而是與自己同年的男人，往往會對同年的女人有依賴，平時一起當同事，也常常不將自己當女人看。同年男人只是很會抱怨，想的都是消極、負面的事，女人還得不時要安慰他。

以前女人對於那些會暴露自己軟弱的男人，會發揮所謂母性本能而盡量癒療男人，但是現在女人自己都很累了，所以反而很怕這樣懦弱的男人會消耗自己的活力，連去吃個飯都無法決定地方，優柔寡斷，無法當作終生伴侶。

許多男人在工作上，與自己同年的女人往往都很會爭風吃醋，因爲同年女人讓他們覺得都太有元氣了。他們對於稍微年長的女人，或是年幼的女人，則奉承或是照顧得無微不至。但是對於同年女人的成就，卻無法眞心爲她高興。當然同年的男人也有同年男人的說詞，認爲同年女人什麼都比自己成熟，所以罩不住，像是到哪裡吃飯，這些生活資訊完全不是她們的對手，陷入喪失自信的狀態。

沒法愛同年男人的原因，一個重要的原因，大概是現在的女人都太有元氣了，對於工作、愛情以及生活消費都非常貪心，而且吸收力很強。相對於此，同年男人沒有行動力的模樣，很快便會被看穿，不會覺得他們有什麼魅力，所以女人反而會去找比自己大很多，或是小很多的男人，才能感到滿足、充實。

粉絲與專業之間——夢想能當飯吃嗎？

現在社會相當多元化，已經不再是大眾社會，而是小眾、分眾的社會，企業生產的產品無法一下子便銷幾千萬個，跟以前很不相同，所以在這種時候，僅對於小範圍的事物有狂熱的粉絲，便顯得非常重要。

這幾年，台灣社會對於許多事物也開始有非常多的粉絲，也就是fans，亦即「迷」或「狂」。有的粉絲是崇拜偶像，有的是崇拜事物，對於某些事物有興趣。這種現象在日本尤其多，像有的日本人追星，會追到傾家蕩產的，但是也有人因爲興趣而相當捉狂，像拉麵迷一天都要吃八碗拉麵等，許多人都恨不得辭去自己現有的工作，不要當上班族，而當個精神愉快的追夢人。

興趣眞的可以拿來當飯吃嗎？

我最近已經在記者會上宣佈要離開我的正業，而去就我的作家副業，許多人都表示羨慕。其實要靠作家維生是否能成功，真的不得而知。台灣出版市場不大，所以還有很大的試煉等著我。

日本許多喜愛寫作的人，在成名前都是住在沒有洗澡間的四疊半榻榻米的小木房裡，等著文學獎入圍以及中選，好像是燈下熬夜在苦讀功名般的感覺。許多著名的作家也都堅持到最後不敢輕易辭去工作，一方面也是擔心自己沒有固定收入之後，會開始焦慮，或是墮落去寫迎合編輯或讀者的作品，反而迷失自己。

頂級粉絲可以讓興趣與職業結合

不過這些年，日本社會相當多元化，已經不再是大眾社會，而是小眾、分眾的社會，企業生產的產品無法一下子便銷幾千萬個，跟以前的日本很不相同，所以在這種時候，僅對於小範圍的事物有狂熱的粉絲，便顯得非常重要。

像日本現在就有數不清的拉麵迷，誕生足以靠此維生的十萬或是幾百萬人。一天都要吃好幾碗拉麵，自己有拉麵筆記，然後開設一個以上的拉麵網站，甚至自己做拉麵。

不過，眞正從粉絲之間誕生令人羨慕的「拉麵評論家」，也不過只有七、八人，其中最有名的是石神秀幸，不但一天到晚出現在媒體、雜誌上，一年還要出好幾本的拉麵手冊。我大概也付了不少錢給他。其他當然還有拉麵評論的元老武內伸，他在十一年前成爲「電視冠軍」第一代拉麵王之後，也等了三年才辭掉原來的工作，而眞正以拉麵爲業，幫忙成立現在在橫濱的「拉麵博物館」，擔任企劃宣傳，最近自己獨立成立「拉麵總和研究所」，他吃過兩千五百家拉麵店，吃過拉麵的數量超過四千五百碗。

石神因爲評論時伶牙俐齒，所以很受媒體歡迎，也還算公道，因此有一定的權威性。不過，我懷疑眞正好吃的拉麵店幾乎已經被介紹光了，這些評論家爲了讓自己評論有些新對象以及新花樣，則很可能勉強推薦一些根本不成氣候的拉麵店。

事實上，我去嘗試一些新秀拉麵店，發現不如推薦，因此對於「拉麵評論家」這樣的職業是否成立有點懷疑。不過因爲這樣的熱潮，所以許多拉麵評論家都被吸收到食品公司的研究開發部門去，參與開發名店系列速食麵等，所以最後還是不能不當上班族。但是頂級粉絲也眞的有讓興趣與職業結合的時候。

對食品有興趣而自己開飲食店的非常多，這是不景氣時代大家最容易想到的自力更生之道，所以競爭激烈，而且工時往往比上班時間還長，幾乎沒有休假，收入減半是很常見的。不過，因爲自己成爲一國一城之主，不必聽令於人，還是很快活的。

其他許多做著歌星或是表演家夢的人更是不在少數，每天，尤其是假日在東京的吉祥寺、原宿、新宿、下北澤等，都有許多年輕人，甚至已經有家眷的人，從事街頭表演，有的希望路人或觀光客能給他們一點錢，或是購買他們自己出版的CD或是DVD等，不過實際上收入有限。

他們只是在等待星探，平常的生活是靠打零工，像是送報、送牛奶或是當便利商店店員等，有的人堅持不住，常常會墜入風化界呢！

成爲偶像與拍AV或是當牛郎、女招待，有時只有曖昧的界限。另外，也有的喜歡畫人像的業餘畫家，因爲當初只是隨波逐流，毫無質疑便開始上起班來，卻開始討厭上班單調的日子，覺得人生有次冒險一下也不錯，所以開始在澀谷街頭擺攤畫人像畫。雖然畫得不錯，不過收入有限，他的夢是想出版一本人像畫集，不過因爲辭去工作而與女友分手，至今也無法得到家人的諒解。

其他也有些年輕人，看不慣日本政界世襲議員愈來愈多，而拋棄原來優渥的薪水，出馬參選或是去上政治補習班的松下政經塾等，但是有的連民主黨提名，也都無法爭取到，或是即使得到提名也落選。畢竟追夢也不容易，不過也有當議員秘書，因此獲得栽培而當選的。

追夢成功之道是有要訣的。請聽下回分解。

逐夢的方法

逐夢有個重要的要訣，就是要做與別人不同、有獨創性的事，才是真正有夢。如果只是做別人也做過的夢，要成功大概相當困難呢！

夢想値幾文？夢想能當飯吃嗎？這大概是許多人一輩子裡都要想的事。日本人最常見的字眼，是「脫sara」，sara是和式英語，就是salaried man的簡稱。許多人創業，強調脫離上班族的意義大於獨立。不過要眞的成為成功的逐夢人，不是那麼簡單的，究竟有哪些法則呢？

做自己喜歡的事

第一個法則是，一定要做自己喜歡的事。日本長年收入最高的兩位作家，西村京太郎以及赤川次郎，每年納稅額都在一億日圓以上，他們最大的原則就是孜孜不倦地寫，而且要寫自己想看的作品，這樣自己才寫得下去，讀者也才會想看。

西村京太郎也當了十一年的公務員，在廿九歲時，發現自己不適合擔任公職，決定辭職，以自己的興趣來維生。但是因爲是長男，擔心雙親擔心，所以辭職後還假裝上班，而每天到圖書館去寫稿，將自己的退職金分月交給母親，可是過了一年，錢用完了，所以就穿幫了。後來雖然應徵許多文學獎，甚至還包括日本總理府主辦的「廿一世紀的日本」，共得了五百萬日圓的獎金，其後也發表了許多社會派推理、幽默推理等。即使如此，他得獎後，也還經歷了很長一段書沒有人買的時期。如果不是自己喜愛的工作，大概便等不到自己發起來吧！赤川次郎則認爲：「如果不是自己覺得有趣，則讀者也不會覺得有趣」。

依此類推，一流的廚師也是自己喜愛做菜，自己也在品嚐美食上，下過不少的工夫，然後對以美食來表現自己可以感到喜悅，因此全神投入，逐夢才可能成功！

既然要逐夢，當然要稍微有點堅持、執著，還要有持續的毅力，才會出頭的。最怕的是有些人以爲自己是在逐夢，結果也是唸經唸不到三天就放棄了。

其次是逐夢的同時，如果原本的工作時間上還算能通融的話，暫時不要辭職，才不會一下碰壁、遭挫折便放棄。如果能找相關的工作來培養自己的實力最好，像許多劇作家便是在電影宣傳公司上班，或是雜誌社編輯出身。有點上班族經驗對於未來創業絕對是有利的。

日本幾位著名的搞笑藝人，在眞正大紅大紫之前，都沒有放棄原來的工作。有的藝人甚至在上電視之後，也都繼續在當麥當勞的店長。因爲要獨立不是那麼簡單，這些藝人比喻自己像是還在職棒的三軍，現在好不容易看得見二軍的旗幟，而事實上所有的搞笑藝人大概有八軍之多，想出人頭地不是那麼簡單。

當然所有的業界都一樣，眞正獨立，或是從事自己有興趣的工作要當飯吃，不是那麼容易。少數「脫sara」成功的著名漫畫家蛭子能收辭職後，還做過收廢紙的工作，借了一輛小卡車，在自己想出去的時候才去收，這樣便不影響自己的創作工作。在成名前，還能維持基本生活，內心不會慌張的話，比較不會做出錯誤的決斷，也比較能眞正創造出自己理想的作品，此外也等於是活絡筋骨的肉體勞動，可促進身心平衡。

逐夢還有一個重要的要訣是，要做與別人不同、有獨創性的事，才是眞正有夢。如果只是做別人也做過的夢，要成功大概相當困難呢！例如同樣有想要參政當政治家的願望，可是專擅的問題要跟別的政治家有所不同，切入點要能引起選民共鳴，像是關心女性的勞動條件，或是醫療疏失問題等。這種時候，自己是否眞的有前瞻性，是否能眞的掌握時代脈動，便是非常大的試煉！

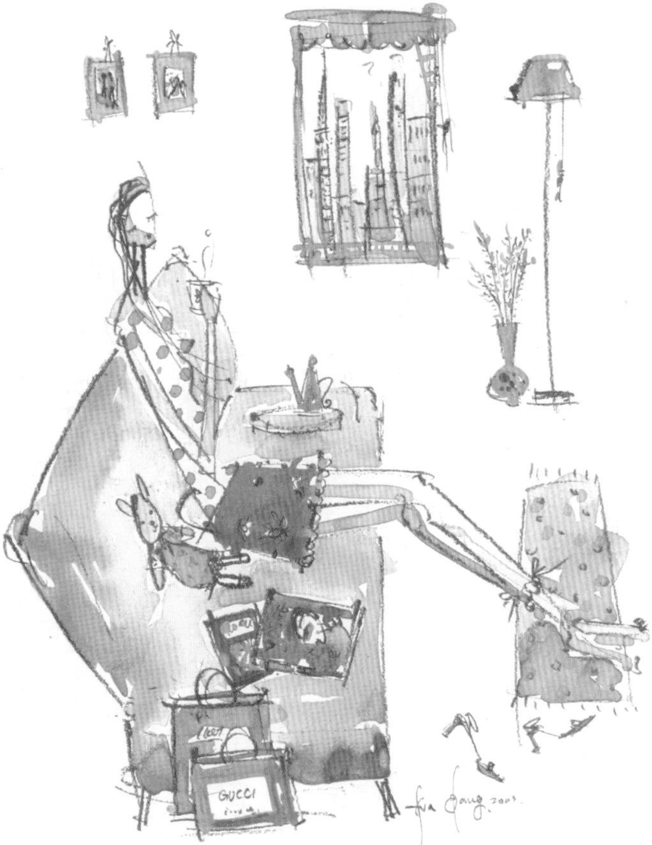
GUCCI

「理」字級的性生活

理想上，還是等有談得來的女人出現，然後在這樣的延長線上有性關係，雖然現實上很困難，但是「理」字級的男人還是會做「性愛合一」的夢呢！

公司裡有一大堆「理」字級的人，副理、經理、協理、總經理等，他們日理萬機，年紀四、五十歲一代的居多，做屬下的，有時不免要好奇他們性生活的眞相究竟如何？有多少義務與演技成分呢？他們如果性生活失衡，是不是會因此而亂發脾氣呢？

一般而言，不分職級的話，日本四、五十歲的男人，對於自己性生活只有一半的人，尙稱滿意，另外有一半的人則略有不滿或是非常不滿。尙稱滿意的人，其實每次花費在性愛的時間，也都不過只有卅分鐘以下，甚至還有的僅有十分鐘。有的男人則藉著私藏A片來自慰，用A片自慰已經是日本不同世代男人一種共同的行爲模式。比較不同的是，年紀大點的男人，無法堂堂跟妻子一起看，甚至還有人爲了觀賞A片，而去租廉價的出租公寓，當自己的A片電影院；年輕一代則男女一起去錄影帶店選片，或是共同觀賞已經相當普遍了。

至於對於自己性生活不滿的男人，最重要的理由是妻子不肯跟自己做愛，原因是多數妻子並不想跟自己的丈夫做愛，其他的三、四成才是因爲生理病痛，尤其是妻子逐漸邁入更年期的年齡層。

不把工作與性愛帶回家？

不過，日本這個年代的女人還是有從順的本性，只要丈夫說要，即使勉爲其難，也還是接受，不少女人覺得這是義務，而且有防範丈夫外遇效果。不過，也有些男人在外面玩女人，因爲現在利用網路或是手機簡訊的中年男人來

網釣，或是找賣春型交友網站的也很多，所以經常在許多咖啡館的角落也能看到中年男人在按手機。

日本中年男人成爲拇指族的情形，現在在中國大陸的大城市也逐漸可以看到，反而台灣較少。自己的先生放假日毫無說明便出去好幾個小時，明知而故不問的妻子非常多，甚至也有些妻子擺明了自己一定不做，要求先生自行在外解決。以前日本男人開玩笑說：「不把工作與性愛帶回家。」不過眞有妻子如此要求的話，男人其實還是很無奈的。

中年男女對於以配偶爲性愛對象興趣缺缺，不是只有女人一方，男人其實也是差不多的。

日本男人對於婚姻外的性愛比較沒有心理禁忌。有些男人去找別的女人，是因爲想紓解自己心理上的焦慮，一方面覺得自己以後或許再也沒有戀愛的機會。此外，中年男人在性慾尚存的同時，也有因爲增齡而帶來的肉體以及性能力衰竭的焦慮，所以有時覺得應該常常「鍛練」以維持性能力，否則會枯萎，眞的變成溼地上的落葉。

但是，許多中年男人也覺得妻子沒有外遇的話，自己也不應該有；或是眞的去外面找女人時，覺得那些年輕的女人不張嘴還好，張了嘴便突然覺得對方俗不可耐，或是自己突然要湧起老爹德行來教訓對方不應該賣淫。但是在這樣說的同時，會發現最悲哀的是自己。

在日本，能做到「理」字級的人，其實在工作上交際應酬都很多，所以糖尿病等生活習慣病多，體力也差了，有點力氣還是想花在事業上。加上因爲是高階主管，所以自尊也很強，如果妻子有拒絕自己的可能，便乾脆算了。對於去外面捻花惹草，則因爲現在企業內部的鬥爭相當厲害，很擔心因爲桃色醜聞出錯。

儘管對於性愛不死心的人還很多，可是若只是爲了處理性慾，而低聲下氣去勾引女人的話，意願相當低。理想上，還是等有談得來的女人出現，然後在這樣的延長線上有性關係，雖然現實上很困難，但是「理」字級的男人還是會做「性愛合一」的夢呢！

Part Two 女人風景

自我表現的女人。不結婚的女人。 銀座的女人。銀座的男人。
小酒吧媽媽桑看男人。性愛低手的女人。拒絕不倫的女人。

自我表現的女人

心靈是照不到的，但是文字就是心靈的鏡子，寫寫網路日記、留言板或是投稿等，都是女人照自己心靈鏡子的方法。這樣的女人每天都煥然一新，能不美嗎？

日本以及亞洲各國都一樣，除了投稿之外，在網路上寫自己歷史、日記的人越來越多了。

日本有一家公司開設了一個「我的歷史」網站，一共有六、七千人去開設自己的網頁，寫自己的歷史。而寫日記的人更多，現在日本國內也是有上萬人，在網上公佈自己的日記，什麼人都有，ＯＬ（上班仕女族）、主婦、學生、風塵女郎等，堂堂對不認識的人公開自己的生活以及內心的層面，文筆非常輕快，像是在對朋友用手機聊天般，虛實交錯，創出了新文體。

不僅是在日本，中文網站也一樣，我有幾位網友也都開設了類似「未公開日記」、「個人的部屋」等，將自己日常以及心事傾訴一番，她們開設前後，判若兩人，也就是變得越來越漂亮、越有自信了，這便是寫作的功勞，是自我表現的美容效果呢！

日本女人對於寫日記或是寫謝函、問候函等，有很深的傳統。

以前在手機尚未如此發達前，幾乎所有的女人隨時都帶著自己厚厚的手冊，將一些日常的小事以及感想，都一一詳細記載在手冊上，等於是自己的日記般。在手機出現之前，手冊等於是自己的分身，每年十月時，明年用的手冊（手帳）便已經上市了。

現在手機成了分身，手機傳的簡訊短多了，語彙也大爲減少，然後ＯＬ在中午吃午餐後、喝杯咖啡喘氣的時間，也都少見在記手冊，而改成發簡訊，稱爲「lunch mail」。

用簡訊與其他人發生連繫關係，這自然也是一種表現的方式，不過最強的利器還是在網上寫日記。會不斷投稿，或是在網上寫日記的女人，也就是會想好好用文字來記錄自己想法的女人，很明顯的，天使一定會降臨在她們身上的。

我自己是不記日記的人，但是除了本業就是文字工作者外，我也是有每天記錄自己想法的習慣。我的方法是在自己的兩個中文網站「黎兒醉心日記」以及「黎兒純愛俱樂部」的留言板上，與自己的網友聊天、對話，也會說說自己今天吃了什麼好吃的，或是爲自己暴肥而傷腦筋，抑或談談自己愛看的日劇、偶像近況，或是網友們提起什麼引人感傷的事等，讓我能抒發一天的感想，然後覺得一天都沒有白過呢！同時，也透過這樣的方式來想想自己到底是什麼人，這與一般的寫作是很不同的經驗。

網頁日記有洗心效果

爲什麼寫日記或是吐訴自己的事給別人知道的女人會變漂亮呢？祕密就是：人很奇怪，即使心情很差，但是能寫出來給別人看，至少有人能分享自己的辛酸，便會覺得輕鬆多了。因此許多日本女人說網頁日記有「洗心」效果，讓自己的心爲之澄清，像是僱用了掃除自己心靈灰塵的精神科醫師，有無限的癒療作用。

網路日記或是投稿的好處，是有讀者在，不像眞正的日記老是在跟自己交戰，沒有下文的，反而容易鑽牛角尖。而且每個人大概都有些不想讓人知道的陰暗面，有時候雖然只是一點點小小嫉妒、小小壞心，但是只要寫出來，寫給別人看，尤其網路是匿名性很高的地方，能任意吐訴，就像是在暗室裡點燈照亮一切，讓自己知道自己原來是如此想的，即使原本污穢，也會慢慢眞的開朗起來。一旦公開，自己反而可以很輕鬆擺脫雜念，而且也可能有人來告訴妳，自己也曾如此想過，沒有那麼嚴重。

因爲寫的東西有人看的話，在心理上也自然會很積極，是向前看的，總是會自己下定決心，像是跟來看的網友、讀者等約束什麼。像我自己一個人要瘦身，就會覺得一片灰暗，不過因爲在網上一直鬼叫鬼叫自己要少吃些，那樣的節食還滿愉快的，即使沒有成功，也不會有人來責怪自己呢！人在寫東西時，都還滿純粹的，好像無法騙人，跟說話不一樣；說話有時會說出違心論來，嘴巴有時管不住的，但是自己的筆就不同了，其實還滿忠實地反映自己。

現在寫東西已經是與文筆沒關係的時代。日本自費出版流行，是人人都能出書的時代，被稱為「文學卡拉ＯＫ化」時代，所以誰都能透過文字來表現自己、告白自己。即使是像唱卡拉ＯＫ，基本上寫還是從無變有，是創造性的，因為要寫，所以便會觀察，會琢磨自己的感性，而且因為寫，所以會客觀地看自己以及事物，會釐清、會整理，比較不會支離破碎，自然遇事也不會太衝動、情緒化，會成為比較有理性的女人，而且自己的感受如果能找到語言來表現的話，連自己都會十分感動、雀躍的。

常常會寫點東西出示於人的人，便能成為善於自我表現的女人。原本心靈是照不到的，但是文字就是心靈的鏡子，寫寫網路日記、留言板或是投稿等，都是女人照自己心靈鏡子的方法。這樣的女人每天都煥然一新，能不美嗎？

不結婚的女人

不結婚的女人覺得自己的經濟能力是最重要的。如果有錢的話，要填補沒有男人的空虛是比較簡單的，像是可以常常去外國旅行等。

單身女人常常會被問：「為什麼不結婚呢？是不是沒有男朋友啊？」以前女人大概都只是笑而不答，或是反過來說：「等你介紹啊。」但是現在已經有許多女人會反問說：「為什麼不能不結婚呢？不結婚有何不好呢？」

日本政府調查發現，日本有5％適婚年齡的女人，已經確定是終身不婚主義者，事實上更有大量不婚女性預備軍存在。因為不婚，所以便開始買房子，成為不景氣的房地產業的救星呢！

爲什麼不結婚呢？男女最常見的理由便是：「找不到適合的對象。」尤其是女人最容易有的理由是：「雖然有男友，但是對於工作的想法很不同。男人對於女人理解有限，總是希望女人遷就自己。」女人的事業（工作）與家庭難以兩立，是女人在這個時代拿來當作不結婚的最好理由。

許多女人都表示：自己不是那種每天都要人陪著賞月、看星星的女人，如果眞的寂寞的話，則養養寵物，像是狗、貓、鳥、魚等，不行的話，還有電視、電腦，反正現在自己想做的事也很多，不會覺得非有男人作伴才行。

雖然沒有男人，但是也還算能自得其樂地過日子；而且雖然自己從廿歲時都有男友，不過最近幾年沒有，也已經認爲是理所當然。對於以後沒有男人作件的日子，也還算有自信過下去呢！因爲幾乎所有的事，自己都能做，也不覺得缺乏什麼。只是想像要是退休之後，變成老太婆，自己一個人跪坐在公寓的小圓桌邊喝茶，有點可憐，所以大概得養很多動物才行。

不結婚的女人覺得自己的經濟能力是最重要的。如果有錢的話，要塡補沒有男人的空虛是比較簡單的，像是可以常常去外國旅行等。

許多女人表示，結婚反而讓自己現在的生活水準降低，因爲現在與自己年齡相近的男人都是不大會賺錢，有些還頗會花錢，從開始交往時，便倒貼的狀況很多，然後又很會吃醋，實在會陷入各種不自由呢！

因爲跟條件好的男人在一起，提心吊膽的，擔心會被騙或是被拋棄，每天都戰戰兢兢過日子；如果是有錢的男人，大概家裡規矩會很多，會變成很委屈的寄生蟲。還不如將自己的條件整飭好，愛怎麼樣就怎麼樣，不想隨便拋棄自己的自由呢！不想將自己的人生全部交給男人，或是以男人的成就爲自己人生的最高點；沒有男人沒關係，只要有佣人就好了。

男人一時，自己一生

不結婚的女人現在的流行語是：「男人一時，自己一生。」男人不過是暫時的身外之物。日本未婚女人所以會如此想，大概也是受已婚女人的影響吧！

許多未婚女人原本也覺得這輩子沒有男人大概過不下去，但是許多已婚女人告訴她們：「即使結婚，生活也幾乎與丈夫沒有什麼關係，如果自己有來世的話，絕對選擇未婚，與姊妹淘等胡鬧還比較有意思。」以及「不能相信，我的婚姻生活是房間、襯衫與我，三個月便對打掃以及燙衣服的主婦生活生厭了。」或是有的女人覺得自己只有一個男人不能滿足，所以即使結婚也會打零嘴，因此還是不要結婚比較妙。

不結婚的女人理由還很多，尤其是離過一次婚的日本女人，再婚的意願更低，覺得日本男人生活上很費事，而且需要人照顧，性情不穩定而且太孩子氣，女人一結婚便要當他們的母親，所以還是不結婚的好。

女人不結婚的理由真的說也說不完呢！

銀座的女人

這些女人不一定是美如天仙，主要還是招待客人的演出是很專業的，讓銀座的女人覺得自己陪酒是有尊嚴的，她們的祕訣已經成為各界探討的話題。

東京夜裡的銀座是成功者聚集的地方，企業家、政治家、演藝人員、文化界人士、運動選手、時代尖端公關以及廣告人等，在日本各界成功的男人都網羅在此地。

因此，在此地以取悅男人爲業的女招待，也是日本第一的女招待，所以銀座的酒廊等女人並非只是女招待而已，而是要冠上「銀座女招待」。還有媽媽桑也是，銀座的媽媽桑是「銀座媽媽」，名聲與別處的女人完全是不同的，她們的手腕以及收入也是足以傲視其他地區酒廊的女人，讓許多同樣從事陪酒等「水商賣」（賣酒、賣笑的生意）的女人都想要在銀座揚眉吐氣，想要在銀座擁有一個自己的店。這些女人不一定是美如天仙，主要還是招待客人的演出是很專業的，讓銀座的女人覺得自己陪酒是有尊嚴的，她們的祕訣已經成爲各界探討的話題。

銀座的女人很專業

同樣是在銀座酒廊，還依地點而有等級之分。例如兩位銀座的女人相遇，問對方店在哪裡，在五丁目的便自以爲不錯，但是對方如果是八丁目的，那這邊就完全被比了下去了。

雖然同爲銀座，以中央通以及晴海通交叉的四丁目爲中心，從京橋到新橋的一公里約分爲八塊，在七、八丁目的並木通的地方是頂級酒廊聚集的地方。這一帶的酒廊房租在泡沫經濟崩潰之後，也還是昂貴的，像樣的地方一坪一個月都要四萬日圓，收費也是一個人坐下來便是四萬日圓。然後開一瓶白蘭地的

話，三個人沒有十五、六萬日圓是無法脫身的，因此一些紅牌女郎，每個月能賺到三百萬日圓。

當然，其實一流酒廊中，頂多也只有一成的女人可以達到這個數目，而且客人都是全日本最菁英的，難怪許多女人以銀座為目標。而且既然並木通一帶的酒廊等級最高，負責接待的一方想盡辦法也要用這一帶的店來接待客戶，以免落為次級接待的冤枉。

銀座眞的是「the銀座」，神氣得不可開交。在此地的女郎其實有兩種：一種是領固定薪資的輔佐者（helper），一種是靠指名賺錢的。前者因為不必承擔業績，所以較為輕鬆，一天就是一萬數千日圓，然後還等客人給禮物以及小費等，不過有野心的女人則會要求採取抽成的方式，這樣才有可能達成在銀座開店當媽媽桑的夢想。

不過在這樣的銀座女人眼裡，會開始去打量客人，評價客人，像是客人穿的大衣，動輒是幾百萬日圓的南美安地斯山的野生動物毛織的，所以是非常現實的。

女人不僅要會看人，自己本身也要改變。不過女人很會隨著自己工作的店的等級，而馬上轉換自己的等級。只要轉到一流店去，許多女人馬上會變成像名門閨秀，服裝、髮型、談吐、姿勢、接客術等都不同，馬上令人刮目相看。因爲店本身是培養女人最重要的地方，因此才會有許多女人寧可去嚴厲的環境，學習以及沾染所謂一流的氣氛。

這樣地方的女人因爲是要讓男人放鬆，所以最忌老是說自己的得意體驗給客人聽，如果讓客人稱讚自己見識多，反而是錯誤的。男人其實都是因爲沒有人聽他們發牢騷而到酒廊來的，所以如果說話太以自己爲主的話，第一次或許好玩，但是兩、三次之後，客人便不上門了。

紅牌女郎都是人際關係的高手，會培養幫自己的輔佐者的女友，也會培養自己的迷，還有全年無休。不隨便休假是很重要的，讓客人知道只要上店來，女人就在那裡，不知不覺會產生相當的安心感；然後不要跟客人理論、主張自己是對的，道歉勝於一切。

一流的銀座女人，對於客人過目不忘，從未忘記過客人的名字，然後爲了爭取客人不擇手段，當然有的人是靠自己的體貼、氣氛所醞釀的魅力，當然也有人是靠店外陪客吃飯、上床等，會緊迫追蹤不讓別的女人搶走自己的客人，全副神經都出動。

此外，銀座的女人爲了拉客，當然很會打電話去招呼客人上門，但是太勤於拉客，有時會有反效果，因爲客人是因爲不好意思的義務感才上門的，往往只是捧一次場之後便不會想去。

因此，聰明的銀座女人都不會對客人說：「你要來呦！」而是假藉各種名義，像是「我的手機換了」等來打電話，客人會覺得很高興。她們不去拉客，可是在第二天（過了翌日就沒有意義）會打電話道謝上門。只是如果不是本人接的話，不會隨便謝謝的，以免添麻煩，而讓接電話的人傳話「問好」就可以了。一流的銀座女人是每天上班前打一百通電話的，這種營業努力大概也是値得男人效法的吧！

銀座的男人

銀座是成功男人匯集之所，也是男人的機會合流之地，男人不但要知道如何在銀座女人面前吃得開，更要知道在銀座這樣的地方培養欣賞自己的男人，製造自己的迷，開拓自己的機會。

能夠在銀座喝酒的男人，通常都是在事業上成功的男人，或是在聲名、地位上有所斬獲的人，例如得了芥川獎、文學獎的作家，也常常被招待在銀座的酒廊徘徊來去，或是成名作家如渡邊淳一等人也都是銀座常客。

在銀座喝酒對男人而言，是非常特別的事，所以關於在銀座喝酒的方法，就有相當多的書；而銀座的女人更是看多了在銀座出現的大起大落的男人，知道什麼樣的男人，使了什麼樣的工夫才能得到成功與名利。

雖然名利不代表什麼，不過在銀座喝酒的男人毫無例外的，都是能隨意揮霍錢的男人。因爲高級的酒廊在泡沫時期，只要屁股擦到沙發，一個人便要十萬日圓，現在也要五萬日圓以上。即使低於一個人五萬日圓的酒廊也是有的，但是與想像中所謂「銀座酒廊」有很大的差異：不是酒廊的女人不漂亮、不夠洗練，還有點未脫鄉下的氣息，不然就是女人總是不容易轉過來。

我雖然不是男人，也曾經讓人帶著去過銀座酒廊見識過幾次，知道其中的世界相差很多，而且眞的感受到許多男人在銀座將家當都賠上了。這些進出銀座的日本男人都喜歡說：「因爲工作、事業很愉快，所以會想去做；因爲做得愉快，所以錢也愉快地進來，因此又能很愉快地做事，因爲錢喜歡良性的循環。」

這是日本成功者說的道理。日本連續十四年不景氣，不過銀座的男人知道，如果自己老是唉聲歎氣，嘴上老是說著：「怎麼這麼不景氣！」露出一點聲色的話，那樣便很容易蜚短流長傳得滿天，原本有可能好轉的事也都好轉不了。

在銀座的男人是不會輕易動聲色的，在這裡的男人知道要拋棄自己的學歷等小品牌、小自尊，而去建立更大的品牌，以及更大的自尊。他們知道去低頭，便會有錢進來，可以不花錢而建立信賴關係，不會拘泥於些無聊的小身段、小尊嚴之爭。當然或許也因爲低頭，累積了一些壓抑，而要到銀座來發洩發洩呢！

銀座是機會合流之地

銀座是成功男人匯集之所，也是男人的機會合流之地，男人不但要知道如何在銀座女人面前吃得開，更要知道在銀座這樣的地方培養欣賞自己的男人，製造自己的迷，開拓自己的機會。成功男人知道不論哪種事業都是「人氣商賣」，所以很懂得創造自己的魅力，並加以維持。

有許多日本男人看起來實在不怎麼樣，在公司裡也沒有女人要理會他，可是到了銀座或是赤阪等酒廊，便突然很討風塵女郎的喜歡。按理，銀座的女人眼中對於男人的評價只有看錢，但是有些不起眼又看來不是多有錢的男人，卻很吃得開。這種男人有一種是不逞強，一開始便在女人面前呈現自己是很不中用的男人，像是女人從孩提時代便離不開的塡充娃娃般，反而讓看過太多剛強男人的銀座女人，對這樣的男人安心，想幫他們一把，爲他們穿針引線，因此讓他們有成功的機會。

銀座的男人在銀座基本上是逢場作戲。許多成功的男人所以會瞬間沒落，其實也是因爲女人問題。許多人因爲外遇穿幫而受到傷害，這樣的男人大部分是因爲違反遊戲規則，沒有徹底善後，即使再三辯稱是「毫無根據」，也已經無法挽回了。

所謂的「規則」便是只要出手染指，便要覺悟一輩子都照顧女人，其次不要輕易出手招惹還沒上道的素人。銀座即使高級，也還是風塵界，所以在享受疑似戀愛的感覺外，也隨時要體認哪些是危險地帶，不要一下子就一頭栽進去！而且如果只是想要與女人上床的話，其實應該到專門解決性慾的風化店去。想在銀座女人身上動肉體腦筋的話，便要有身敗名裂的覺悟吧！

小酒吧媽媽桑看男人

長谷媽媽覺得男人的精神力量也很重要，能夠超越一些心靈創傷的人才會成功，反而有些男人，動不動就在唉嘆自己「比別人更容易受傷」，其實是神經很粗糙的人。

雖然銀座媽媽桑看男人的一套方法很有說服力，不過能上銀座「雙子屋」那樣消費的男人還是有限的，所以有時覺得一般小酒吧的媽媽桑看的男人三教九流都有，不僅看過成功的男人，也看過無數失敗的男人，或許還更了解男人呢！所以像女詩人俵萬智都選擇小酒吧來打工觀察男人呢！

在大學時代便在新宿的金色街開小酒吧，後來還曾經當選過眾議員的媽媽桑長谷百合子，也出書來訴說什麼樣的男人才會成功。那些角度跟銀座媽媽從男人的打扮看起的看法很不同，可以說是更直逼男人的本質。在長谷媽媽看來，男人首先必須要能在女人前吃得開，與女人爲敵的男人是無法成功的。

與女人爲敵的男人，無法成功

男人是否眞的善待女人，女人心裡最有數。內心瞧不起女人的男人，女人是很能識破的。長谷媽媽說：「女人原本就有很愛照管人的氣質，對於有好感的男人，萬事都能通融的。」像好男人拿張已經過期的收據來報帳，女人都會幫他設身處地想的，稍微有點疏失時，也會提醒他「上司是希望能這樣處理的」，完全站在幫男人的立場，所以千萬不要得罪女人。

女人是看哪裡在判斷男人好壞呢？長谷媽媽說有兩點：一是在與人共事之際，會不會專挑討好的事做？其次是看看男人會不會只是瞞上欺下？也就是男人是否能公平地做事是很重要的，肯照顧人，對誰都沒有差別的男人，不僅在同性之間會有人望，有銳利洞察力的女人當然更會看得一清二楚。當然這樣的男人是有氣度的男人。

長谷媽媽認爲以前學生時代，有些男人可能只是爲了請朋友而會自己拚命打工，有點豪情俠氣，對大家一視同仁，不會勢利眼，不會僅以頭銜、身分來看人。這樣的男人自己創業，願意跟著打拚的人自然會很多，所以也是會成功的人。

長谷媽媽覺得男人的精神力量也很重要，能夠超越一些心靈創傷的人才會成功，反而有些男人，動不動就在唉嘆自己「比別人更容易受傷」，其實是神經很粗糙的人。因爲眞正很纖細的人，是不會輕易吐出這樣的話來。男人有許多看起來很傲慢而且屬於攻擊性的男人，反而很容易受傷，爲了守護自己而先背了一個很強硬的殼。

在小酒店與在銀座的酒廊很不同的是：銀座的男人至少都會扮演紳士，男人在那樣的地方也都會僞裝、逞強；但是小酒店的男人則比較會露出本性，呈現很放鬆的自己，所以小酒店的媽媽桑看到的是比較接近男人眞面目的。像長谷媽媽在店裡看過男人三杯下肚後，有時便會說出毫不留情的狠話，或是誹謗中傷的話，不過也有男人雖然自己最不想遭人點破的弱點，被拿出來消遣，但是卻能一笑置之，這樣的男人便是精神力量很強的男人。

雖然男人懂得照顧眾人是很重要的，但是長谷媽媽認爲男人還是不能喪失日文所謂「一匹狼」的精神，也就是不成群結伴也能自求活路、主張自己立場。她尤其喜歡「唯我獨尊」的話，因爲這是釋迦誕生瞬間說的話，這是「世間只有自己一個人存在以及認識這件事本身」。雖然這句話有負面認爲是妄自尊大，但是有自尊心以及信念是很重要的，那樣才不會因爲中傷或是誘惑而動搖，所以男人也要有覺悟必要的孤獨的勇氣。

當然小酒店的媽媽與銀座媽媽也有英雌所見略同的地方，像是成功的男人不論做什麼都會看TPO（這是和式英文，也就是時、地、狀況的英語的簡稱），也就是看當時的氣氛行事，有臨機應變能力。

男人要是無法聞出當場的空氣味道的話，連當男人都沒資格呢！尤其是服裝、遣詞用字與場景很有關係。雖然小酒店是不需要盛裝的，但是有的男人上過澡堂，頭髮還溼淋淋地便闖進來，或是自己與別人因爲什麼名堂而慶祝便大吵大鬧，完全無視在座別人的存在，這樣的男人一定不是可愛的男人！

性愛低手的女人

女人說自己「性愛下手」，好像是在說：「請你好好調教我。」讓男人十分興奮，起了「讓妳染上我的顏色」的野心。

在交友網站上，有許多女人告白說：「我不是性愛高手，您不在乎嗎？願意要我嗎？」這樣的話聽起來像是安慰男人，像是在告白自己不是經驗豐富的女人。對於許多女人經驗不是很豐富的男人而言，那是很大的福音，因爲現在害羞、含蓄的女人好像越來越少。女人說自己「性愛下手」，好像是在說：「請你好好調教我。」讓男人十分興奮，起了「讓妳染上我的顏色」的野心。

事實上，大家印象上十分生猛的日本女人，其實對於性愛很沒自信。最近也有雜誌調查發現：有66％的廿歲至卅歲的年輕女人，其實爲了自己沒有充分的性技巧而煩惱，這或許也是性資訊氾濫的時代的新煩惱吧！

過去半年多，一直是日本男性專用的週刊雜誌，在報導男人如何提高性技巧、享受性生活，但是最近幾個月，則變成是女性雜誌不斷推出性愛專輯。這顯示不僅是男人，連女人也想要加強自己的性愛能力呢！

這其實與女人也開始看起AV，以及網路上關於性愛的消息以及感想太多，性愛不斷遭強調有關，因此女人也不能不正視自己的性愛能力問題。不過，對於什麼樣的女人算是「性愛高手」的概念，看起來眞的很受AV的影響，像大部分的女人認爲「吹簫高手」是性愛高手的第一條件，而且還要有表情等的演出。因爲所有的AV中的女星都非常性饑渴，而且一旦男人性器官進入自己的身體，要非常有感受，以及動作要非常挑撥、性感，還有性愛高手也包括要有男人所追求的所謂有緊縮能力的私處的「名器」等。

與其說是女人對自己性愛能力的要求提高，其實是因爲現在男人對女人的性愛要求大增。四十幾歲以上的歐吉桑，會覺得讓女人吹簫是很特別的服務，但是現在幾乎所有性愛的開始動作，千篇一律都是從女人幫男人口交起。

許多男人因爲看了許多AV，因此對於肛交、全身親吻、顏射等，都視爲理所當然，因此許多女人也認爲現在如果要確認對方性愛需求，大概就是要發一張像拍AV時，問女星願不願意做這做那的清單，讓女人打勾才行，否則現在男人以爲什麼都是可以、應該的。

男女平等的性愛責任

以前對於性愛的「責任」，也就是是否從性愛得到快感等，都是由男人來承擔的，因此男人覺得女人是否能有高潮，是自己性愛最大的價值。所以老一代的男人如渡邊淳一，都抱怨在性愛這回事上是女人占便宜，因爲男人其實只有幾秒的快感，而女人則會爽快幾分鐘或是幾十分鐘。但是現在眞的是男女平等，女人也開始對於性愛的過程以及快感想負責，會想以男人的快感爲最優先呢！女人還是有高度奉獻精神的。

過去男人對於自己在做愛途中，突然萎縮而不再堅挺等，都會覺得是自己的責任，自己不夠力，可能因此一直在女人面前抬不起頭來。但是現在女人也覺得如果男人中途萎縮，一定是因爲自己不夠性感，或是自己怎麼吹簫，男人都不會射精等，或是常常指南裡教導女人要如何抬高臀部或是扭動腰等，自己卻在做愛時完全不動，而任憑男人擺佈。如果男人覺得沒意思是自己不好吧！日本人對於做愛時，完全不動，像是一癱死肉般的女人，稱爲「鮪魚狀態」。

許多女人在閒聊閨房事時，也都表示：「實在很羨慕那些AV女星，搞那麼多動作或是做那麼久都不會痛！」雖然女人不是沒有性慾，但是也不見得覺得男人性器大就是好，或是做愛時間長就是好，因爲現在女人也有許多自己想做的事，也會疲倦，所以反而也有女人羨慕別的女人的男人早洩呢！

當然也有女人其實一點也不笨拙，而是現在在性愛上任性的男人太多，不但自己對於AV等囫圇吞棗式亂看，亂要求女人，男人自己不好好溫柔地玩前戲，還很輕易出口責怪女人「性愛下手」，所以才會讓女人覺得很受打擊。

以前的男人是不可能將性愛責任全推到女人身上的；現在男人動輒說：「妳不夠性感」「因爲是妳，所以無法翹起來」，或是「妳太沒氣氛了」「以妳的

年紀而言，妳還滿沒經驗的嘛！」或是口交時，男人抱怨：「妳的牙齒碰痛了我！」等等，女人怎能不沒自信呢?所以男人會脫口說出這些話，也是因爲現在性愛分離嚴重，許多性愛與愛情無關，所以男人也只將女人當作發洩性慾的對象，說話不帶一絲絲的愛情。

其實有時候並非女人不好，而是現在年輕男人大多自己是「自慰高手」，對於需要兩個人才能做的性愛則不擅長，但是女人卻錯覺以爲是自己不好，自責過度。像有的女人說：「我很糟糕，我無法喝精液。」其實那是很正常的反應，但是沒想到現代女人還拿此作爲自我評價的基準，已經是過度自卑程度，所以就會越來越緊張，甚至疑神疑鬼到「究竟正常位時，女人的兩腿要張開多少?」

當然一些資深的AV男星都會安慰女人說：「其實男人根本不是那麼在乎女人的性技巧，只要好好問男人怎樣才舒服，或是告訴男人自己這樣會很舒服，則兩人都會是性愛高手。」不過話雖如此，年輕男人已經讓AV教壞了，而且自慰習慣了，男人自己手的握力，當然很容易比女人的性器或是嘴巴更緊、更強大、更自如，所以胡亂批判女人實在是有失公平的。

性愛原本是兩人裸裎相見，應該是兩人都放棄一些社會尊嚴而互相需求對方的肉體。不過現在因爲對於一些性技巧的講究，以及對於是否得到高潮、快感的生理面過度集中，而完全不在乎性愛的精神溝通效果，則很容易出現自認爲「性愛低手」，或是斥責對方非高手的新問題呢！事實上，女人自認爲高明的，男人也不一定領情，有的男人認爲女人如果喘叫聲音過大的話，反而不能不回應或是反而煞風景呢！尤其演技眞的太差的話，還是不要作聲的好！

拒絕不倫的女人

不要不倫的理由是，她談戀愛的時候，一定要兩人摟摟抱抱，當衆牽手散步以及搭著對方的肩走路，但是不倫則沒有辦法。

現在日本社會因爲有半數的上班仕女族有過不倫的體驗，所以不倫好像沒什麼，大家都對不倫沒有什麼免疫力了。不過，也有女人聲明拒絕不倫，像最近拍了裸照的秋吉久美子，算是非常稀有的動物呢！也還有許多女人正在不倫邊緣掙扎著，拚命想抑制自己跳到不倫的深淵去呢！

多情女星秋吉久美子在案內她熟悉的青山，因爲東京的青山地區也是我常去的，所以還滿專心看的，最後她說到自己的感情，因爲她剛與一位比她年紀小的異國青年分手，大概也是因爲她必須養那男人，所以太累了吧！她說：「今後我要找能養我的男人。」

拒絕不倫最堅強的理由

秋吉久美子說：「我也想讓別人養養看！不過我絕對不要不倫。」她說，不要不倫的理由是，她談戀愛的時候，一定要兩人摟摟抱抱，當眾牽手散步（在青山散步）以及搭著對方的肩走路，但是不倫則沒有辦法。

我對她的說法也頗能理解的，是拒絕不倫一個最堅強的理由吧！

有的女人很容易鬧不倫，尤其是那些優秀、力爭上游的女人，一旦過了思春期之後，便會覺得眼前的戀愛有點不夠味，對於戀愛對象的要求越來越多，希望對象是自己能尊敬的男人，是超過自己許多的男人，是能幫助自己超越現況的男人，希望男人爲自己開一扇窗，將自己導向未知的世界去，結果常常會是已經有家室的男人。

如果不是有點野心的女人、不是有強烈好奇心的女人，反而不大會「遭遇」

不倫呢！不倫有時不是遇到的，而是女人自己事業取向、性格取向所形成的。

第一次不倫之戀的人都很苦惱，痛苦片刻不離，思索自己究竟是否應該栽到這個不倫與否。當妳在煩惱時，妳的不倫之戀已經開始了，雖然一直想踩煞車，卻反而會一直想他。即使想去多多注意其他單身男子，但是總是浮起他的影子，覺得即使現在撤退，也無法回到原點呢！

會開始責怪婚姻制度，但是事實上，妳這麼強烈意識到妳是在談不倫之戀的話，其實妳是很在乎婚姻的，內心的結婚願望不會輸給別人的。但是自己卻會不斷欺騙自己：「我不結婚也無妨。」「戀愛與結婚是兩回事。」「我會工作，所以不在乎。」「我應該不至於陷入沼澤狀態。」

不倫與煩惱、痛苦是雙胞胎。要先認清自己是哪種人。不倫是一定會很痛苦的，不過還是有許多女人甘願投入下去，所以不僅是痛不痛苦的問題，那男人值得與否很重要，最重要的是，女人必須要了解自己是什麼樣的人，不要不斷給自己催眠，很累的呢！

不倫對象的男人常常會說：「不愛妻子，愛孩子。」是很麻煩而最常見的外遇男人的說法。這當然很可能是眞的，不過也表示那男人爲了孩子一定不會離婚，在不離婚的前提下跟妳交往，他都已經說得很明白。

其次是不愛妻子的問題。也可能他在單身赴任的時期，或是妻子不在眼前，內心也眞的是如此想的，但是或許哪一天，他妻子來一起住，或是妳看到他與妻子在一起散步，一定會受不了的。

有的女人說：「我可以談沒有性愛關係的精神不倫。」我不大相信那是可能存在的，只有吃飯、聊天，那更是划不來呢！精神等各方面的負擔更大呢！會覺得更沒價值。如果一開始沒有發生過肉體關係的話，或許精神不倫還有可能，一旦有過，那大概是不可能的。

當然男人是否只將女人當作予取予求的對象，是否只是在利用女人，而自己完全不付出，女人是最清楚的。

男人有時只是在證明自己還有談戀愛的能力，還有吸引女人的能力，不是非妳莫屬，那是最糟的事，是最不值得了。

還有男人只是將稍微年輕的妳，當作性慾上的便利女人。女人以爲扣住他的性器，就扣住他的心，其實也是很大的錯覺。

不倫的case，每個都不同，有的男人會放餌，（表示自己與妻子不好，暗示將來也不是沒有結婚的可能。）但是有的男人連餌都不放呢！

因爲妳看來是剛墜入不倫的情網，正是最刺激、最甜美的時候吧！但是這段時間要持久不易呢！慢慢就會開始進入沒有出口的隧道，當然有人覺得一直沒有出口也無所謂。不過即使論調再高的人，也很難長期忍受，而且還要有一套武裝的哲學。

尤其不倫對象的妻子不在身邊時，暫時能逃避對方有家庭的事實，一旦放長假時，或像快要年底了，對方可能要返鄉了，難熬的日子可能很意外地很早便開始了。有的不倫已經開始了，我只好幫那樣的女人祈禱不要傷到別人，傷了別人其實眞正是傷害自己的。

Part Three 特選純愛

現在世間一片愛情至上論，好像不談戀愛便是很大的恐慌，便是罪大惡極，所以如果結婚的話暫時不必戀愛，可以將戀愛的習題留下來慢慢做，然後才能有真正的香醇純愛。

特選的純愛

戀愛還是要好好用自己的審美觀來慎選、嚴選才行，隨便濫用「戀愛」或是「愛情」的字眼，太不可原諒了，只是自我滿足而已。

裕子一直在吵著想要結婚，問她理由，她說：「結婚才能不用急於戀愛，而且才能找到眞正的愛情呢！」這是什麼愛情歪理呢？原來她是說，現在世間一片愛情至上論，好像不談戀愛便是很大的恐慌，便是罪大惡極，所以如果結婚的話暫時不必戀愛，可以將戀愛的習題留下來慢慢做，然後才能有眞正的香醇純愛呢！

裕子是很奢侈的女人，她什麼都要特選的，不像我凡事都是B級就可以，就像我是B級美食者，因爲如果付出太昂貴的代價，吃到絕佳的美食，也會覺得這是理所當然的。對於愛情說不定也是如此，雖然表面上，我好像願意付出一切，但是事實上並沒有吧！在愛情上，我或許也不過是狡猾的B級人而已，但是裕子不同，她說她要的愛情一定是要特選的，不要隨便戀愛，即使婚後再談戀愛也無所謂。

這實在還頗不可思議，好像婚姻還比較無所謂，而愛情則馬虎不得！

想結婚的人，卻有失樂園願望

裕子是有道理的。她認爲現在大家戀愛都只是爲了證明自己還是個女人，不是男人「對象外」的女人而已，然後享受一點點心跳的感覺，也就是那種有及時效用的戀愛，只是爲了有雀躍的快感，所以大家都跑去戀愛，其實不過是許多女人對於現在生活不滿，想要尋找答案，結果一下子就逃到戀愛裡去了。裕子覺得這種做法未免太粗俗輕便了。雖然也有些女人對於生活的鬱悶、不滿，會用學東西、唸書、旅行等來紓解，但是她們很快發現，用戀愛以外的東西想要排遣實在很費事，效率很差，所以便用戀愛來遁逃。

現在許多男女在網上認識，一見面馬上便上床，雙方只說過沒兩句話而已，便已經在大嚷：「我在戀愛呢！」但是這眞的算是戀愛嗎？其實說來，還令人難以相信呢！如果這樣超快的「速愛」，也算是戀愛的話，那麼豈不是所有的男女接觸都是戀愛嗎？

所以裕子的想法是，戀愛還是要好好用自己的審美觀來愼選、嚴選才行，隨便濫用「戀愛」或是「愛情」的字眼，太不可原諒了，只是自我滿足而已。或許裕子一直都是全身全靈去愛的，每一次都愛得死去活來，所以對她而言，「戀愛」或是「愛情」都是有很明確的指標，知道這才算是愛情。因爲每次愛都受過傷，轟轟烈烈地愛，然後也轟轟烈烈地分手，所以她嘗過愛情的大套餐，曾爲滄海難爲水，不是那種家家酒、沒說過兩句話的戀愛。

常常有女人哭訴自己愛得痛不欲生，我覺得那都是一種收穫，因爲有那種深刻的愛情經驗，便不會隨便只是拿心跳、雀躍感當愛情，那只是路邊攤的小吃，裕子覺得自己暫時已經沒有力氣再去談特選戀愛了，所以先結婚再說，結

了婚暫時可以不用談戀愛。

反而是在青春少女時代，在戀愛上沒吃過苦頭，雖然換過男友，但是一帆風順，然後就結婚了，這樣的女人即使在婚後，也還會對戀愛的美好維持憧憬。因爲她們的記憶中的戀愛，都是非常輕鬆、簡便而且舒適的，所以婚後有時上上網，便會很容易就去約會，然後說自己在戀愛。

裕子覺得青春時談的戀愛，雖然也都是那種可以爲愛走天涯型的戲劇性戀愛，但是動機還是多少有點不純。像愛對方，那樣不顧一切地愛對方，其實不過是滿足自己的一種表現：有時對對方死心塌地，只是不想證明自己是錯的；有時跟對方鬧到半死不活的，其實也只是要對方聽自己的，將對方硬捲到自己的世界裡。回想起來，那時或許根本也沒弄清楚對方是什麼樣的男人，不過是對對方充滿了期待。這樣的戀愛雖然可能很眞，但是不純！

但是如果自己結了婚，再遇到吸引自己的男人時，可能對對方不會有什麼期待，這樣才是自己現在想要的一種純愛。原來愛不僅有特選的，還有特選的純愛呢！

那究竟「特選的純愛」是什麼境界呢？裕子說：「大概是兩人覺得在最美好的瞬間就這樣死去也行的感覺。」這不就是失樂園，將愛情凍結在最好的狀態，不會受世間阻攔、破壞起來的境界嗎？想要結婚的人已經有失樂園願望，女人實在還滿可怕的呢！

愛情絕緣體？

事實上，女人都知道好的戀愛其實會讓女人變美，勝過任何昂貴的化妝品，對於工作以及人際關係也會有正面的好影響。對於這麼好的東西，怎麼能輕易放手呢？

你是否已經六個月以上沒有戀愛了？雖然正在與人交往，但那眞的算是戀愛嗎？驀然回首，發現自己的愛情可能是很沒營養的狀態，或是自己已經有好一陣子與戀愛無緣，慢慢成爲愛情絕緣體？

不會戀愛的人，就不會讀書，也不會工作，好像一無是處，這當然是錯誤的迷信。不過的確有許多日本年輕女人會爲此而煩惱、自卑，如何提高自己的戀愛能力是至上的命題，以免長期當愛情的波西米亞人而四處漂泊。

與愛情無緣，是不是因爲自己的戀愛力衰退了？許多女人會開始疑神疑鬼，相當不安，尤其是許多女人單身雖然不錯，不結婚也沒關係，但是問到有沒有男友時，發現沒有交往對象的人很多，而且積極在尋找男友的人也不是那麼多，當然這個比例在二十歲出頭都還好，但是越接近卅歲，便越來越多「愛情絕緣體」的預備軍。

事實上，女人都知道好的戀愛其實會讓女人變美，勝過任何昂貴的化妝品，對於工作以及人際關係也會有正面的好影響。

對於這麼好的東西，怎麼能輕易放手呢？尤其是現在世界都在提倡凡事慢慢來的非速食「slow life」，誰都想因爲愛情而雀躍不已，享受這種金錢買不到的最高奢侈，但是要談眞正的戀愛還滿不容易的！

不容易談戀愛的原因，其實也是因爲現代是「愛情貧瘠不作的時代」。許多女人都覺得要邂逅男人，或是要與男人上床比以前簡單，但是完全沒有談戀愛的感覺。其實，這一方面是因爲現在有不少的邂逅是發生在網路上的，因爲透過手機簡訊或是網上對話，大家都很輕鬆地可以談虛擬戀愛，在網上很輕鬆地扮演，一旦面對面卻無法眞正談現實的戀愛。

在日本，大部分原因是出在男人身上。台港等地是最近一、兩年，女人才開始喊「好男人難找」。但是日本女人在十年前便已經發現周圍都沒好男人。好男人究竟都消失到哪裡去呢？其實是因爲有性慾，但是覺得戀愛非常麻煩的男人不斷增殖，所以導致滿街都是不努力戀愛的男人。日本以前在泡沫經濟時代，男人爲了獲得女人，必須遵守一定的遊戲規則，否則男人的自尊也不容許。但是現在什麼價値都大崩盤，變成大家都可以說眞話的時代，所以男人覺得女人很麻煩，與其陪女人一起幻想愛情，還不如很簡單地藉著各種色情軟體自慰，或是輕便的一夜情來發洩性慾，省事多了。

因爲是性慾很容易紓解的時代，所以男人越來越不努力談戀愛。男人自己的魅力逐漸消失，誕生了大量吃不開、不起眼的男人，所以女人戀愛的對象不是集中在少數有魅力的男人，便是乾脆不談戀愛。而且，因爲在戀愛對象以外去處理性慾很簡單，所以男人對女人的亢奮度不會提到非常高。

戀愛中，除了感情不確定性之外，男女的牽引拉拔，大部分是因爲還有性愛的懸疑性與吸引力。如果很容易在交往對象以外去發洩性慾的話，男女之間要產生濃厚的關係便很不容易呢！

戀愛力是可以鍛練的

難道這樣的時代，男女都註定要成爲愛情絕緣體嗎？那多麼可惜！戀愛力還是可以鍛練、提高的，男人應該除了工作以及運動、打扮外，也應該多看看電影、小說等，有自己執著的文化素養是很重要的，有那樣令人意外的一面的話，自然在女人面前會吃得開。而女人也不要太要求「完美型」的男人，二、三十歲的男人是沒有理想男人的，有的話，大都是已婚的，都是其他好女人培養出來的。所以要自己去尋找有潛力的好男人，兩人走在一起時，有戀愛的實感才是最重要的，然後能不能將對方琢磨成理想男人，那就是自己的造化了。

女人本色與母性是否相容？

為人母親以及思念男人的兩個部分，以前要同棲於一個女人身上相當困難，現在逐漸有點融合的趨向。

女人的一生應該有兩次戀愛期，第二次便是在教養兒女告一段落的卅五歲（或是四十歲）之後，當小孩都上中學之後，過去十幾年一直壓抑作爲女人的本能，便會很自然的浮現出來。

中年男女的情色，因爲已經沒有以婚姻爲目標，反而比青春期更能稱得上是純愛，因爲這可能是作爲男人、作爲女人最後的愛情、最後的對象，因此可燃燒到最高點。但是這樣純愛的證明，往往僅存在於當事人兩人之間，唯一的

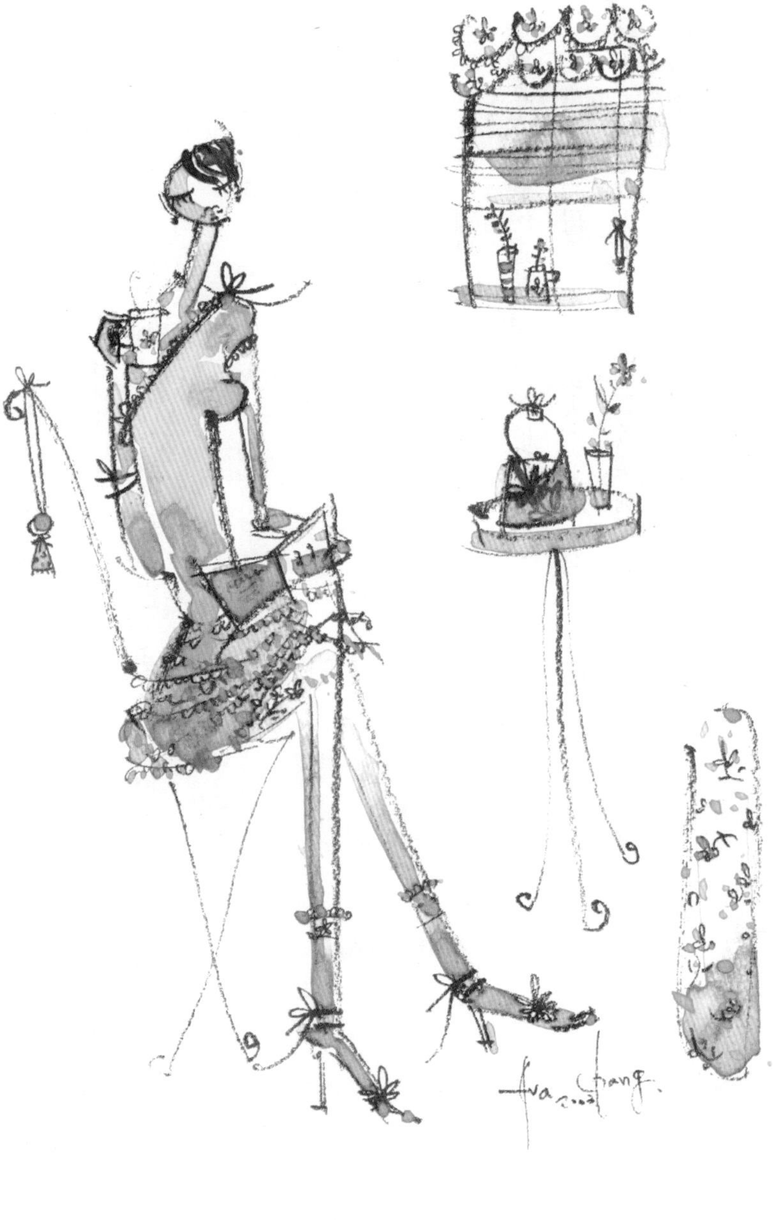

方法眞的只有像「麥迪遜之橋」女主角芬西絲卡，在死後才向自己的子女告白嗎？雖然也有人認爲即使告白，也是違反了「純愛道」，但是也有人認爲女人有追求純愛到底的權利，甚至女人也應該與男人一樣可以「同時愛兩個男人」。

在第二次戀愛期的女人，與其是單身的狀況，往往是已婚或是離婚狀態的居壓倒性多數。

爲人母親以及思念男人的兩個部分，以前要同棲於一個女人身上相當困難，現在逐漸有點融合的趨向，不過基本上，亞洲的女人將「女人」與「母親」分開的意識，還是非常強烈，像在做飯給孩子吃，如果與對心儀男人的性幻想要結合在一起，還是有生理上的厭惡感。

當然將「母性」以及女人本性的「雌性」分開，說不定是一種社會教育的結果。但是女人根柢上還是喜歡將兩者分開，因此女人雌性會爆發、大動春情的時候，大概便是子女比較不費事，已經開始有閒，有閒才有「閒情」，才有發現第二次戀愛期甘美愛情的餘裕。

中年男女的愛情要區分愛情與情事非常困難，因爲這個年紀的男女大概已經有相當的性愛經驗，要是相愛的兩人沒有肉體關係反而很不自然。性愛與感情的密切貼合也是成人之愛最迷人的地方。此外，中年男女有作爲男人、作爲女人的生命已經不多的焦慮，因此更沒有餘裕，慢慢經過一定的程序才讓肉體結合的，芬西絲卡也是如此吧！

她與若柏．琴凱邂逅後，便馬上毫無猶豫地發生肉體關係，如果是十幾、廿幾歲的男女的話，便是放蕩的性關係而已，但是以芬西絲卡以及琴凱兩人的年紀而言，便是激烈地爲純愛而燃燒的結合。兩人在四天中，如烈火般愛得死去活來，卻又慌慌張張地分手，十分忙亂，便是中年男女的愛情特徵。

中年純愛需有覺悟

因爲中年之愛是不與人生設計結合的，與婚姻無關，所以才算純愛，所以沒有責任、義務，但是同樣也不受保障。這樣祕密的純愛，如果東窗事發，姑且不論法律以及社會善良風俗等的叱責，比較擔心的是，很容易傷及自己以及對方的配偶，還有孩子等無罪的第三者。因此不是成熟的男女，是沒有資格擁有這樣美妙的純愛季節的，純愛最好是至死都能永遠藏在心中。

當然也有人認爲女人應該徹底追求已經不可能再來的純愛，即使拋棄家庭等所有既成的社會地位與成就。但是即使像芬西絲卡在那樣偏僻的鄉下，私奔的社會壓力也是很大的，對於女人而言，其實與女人本能的「雌性」無法相容的，還是「母性」吧！

大部分女人第一個無法抵抗的是自己，是作爲母親的自己。因此日本在子女離巢後，要求離婚，而尋求自己第二個作爲女人人生的日本女人非常多；其次，大概是自己的丈夫。許多女人雖然愛上了別的男人，但是對於自己的丈夫並非全無愛意，雖然有的已經昇華爲「家族之愛」，沒有男女之愛了，但是女人不忍傷害廝守已久的丈夫的心情，還是很濃厚的。

日本男人的通念是「女人只能愛一個男人」，但是現在也有女人開始對此一「常理」與「通念」質疑，難道女人只能愛一個男人嗎？一夫一妻制的法律制度以及社會道德，還是會對女人的愛情實力發生很大的束縛作用的，即使本人覺得自己能同時愛兩個男人，但是還是會因為周遭所加給的「不倫」、「不貞」等，而多所猶豫或是挫折呢！

中年男女的純愛還是有相當的困境，即使兩人不顧一切追求到底，但是現實上最美好的狀態可能已經不再來了。

日本的「麥迪遜之橋」便是「失樂園」。久木與凜子便是因為即使兩人不顧一切要結合，或許也能成功，（日本尤其沒有通姦罪，離婚基本上不是問題。）但是因為要傷及無辜甚多，兩人大概也無法維持現在這種最高昂而又完美的純愛狀態，而會讓現實將兩人都碾得支離破碎的。

因此，在中年純愛中，原本就沒有享有太多的中年女人，常常會想拋棄一切也可以，但是付出很高的代價後，往往會成為兩人新的重大負擔，因此男女兩人都要有重大的覺悟，覺悟兩人的愛情禁得起社會的折磨。如果不是如此，只好讓純愛歸於純愛，讓純愛永遠存在兩人之間，永遠維持最高的純度。

下半身的投資

現在不僅是男人必須要紓解、滿足自己的下半身需要，女人說起下半身，已經不限於「下半身肥胖」的瘦身問題，女人的性需要、性衝動也需要投資來取得平衡。

最近日本有位大報的男性社員，在路上露出下半身而犯了公然猥褻罪遭逮捕，許多人都覺得這大概是平時對於下半身投資不足而積累的焦慮所致。其實現在不僅是男人必須要紓解、滿足自己的下半身需要，女人說起下半身，已經不限於「下半身肥胖」的瘦身問題，女人的性需要、性衝動也需要投資來取得平衡。當然女人去買昂貴的名牌性感內褲增進情趣，或是爲了在床上裸身時不要自慚形穢而花錢去塑身，也算是下半身的投資。

女人現在也愛看ＡＶ，所以日本開始有許多女人觀點的ＡＶ誕生，女人也會去買許多性愛小菜，如「淑女漫畫」「春宮小說」等，影響所及產生了市場變化，有些男作家開始寫女人看的春宮小說，還有名作家江國香織也試行寫了中篇的春宮小說。女人的性慾已經可以登堂入室，成為情色的新市場。

男人的下半身投資比例偏高

不過相對而言，得編預算來對應自己的下半身，基本上還是男人吧！日本有雜誌調查，發現卅歲左右的日本男人還是花費了年薪的25％到40％左右，投資於自己的下半身。

日本早年拍了不少情色電影的日活，便為了男人而出過數不清的下半身片「下半身症候群」「未熟的下半身」等。

男人、女人有下半身的存在是相當惱人的！男人的投資比例這麼高，當然是指比較廣義的投資，像是去聯誼、約會、賓館飯店費、買進貢禮物、上風化店等都算在內，男人的下半身的恩格爾係數還滿高的。

沒有女朋友的人表面上看起來花費較少，但是經濟效率非常低，要投資非常多才好不容易能上床一次。以前被認爲花錢比較多的不倫，現在也因爲女人的體諒，還不見得是投資最多的呢！雖然不倫男女幾乎很有默契，在一起一定上賓館確認對方的存在，甚至很少在外面用餐。不過已婚男人在三、四十歲正是負擔最重的時候，女人大概除了賓館費之外，也不讓男人多支付，所以不倫男人的下半身投資都是純粹的射精經費呢！

比較意外的是自家發電的男人的自慰，現在反而有男人願意投資了。日本風化業以前都是以「本番」，也就是可以眞槍實彈的爲號召，但是現在本番已經不稀奇，反而是輕薄短小的風化業受歡迎，也就是略微奢侈的自慰，讓男人滿足一些不足對外人道的性癖，像讓女人看自己自慰等。現在的年輕男人不見得希望女人碰觸自己的下半身呢！也有些風化店女人已經不脫衣服了，男人反而需要一些非肉體而是精神上的服務來發情，而且願意爲此付出較高的代價。

現在許多男人發現，在男女約會時，如果放棄大男人自尊的話，反而能省錢，像約會時，女人比較喜歡在一般的都市飯店而非賓館，所以有的男人先決定約會基本上在自己家裡。但是女人想去外面的話，則男人付餐飲費，女人付飯店費，那樣便會比較省錢，只要準備一些AV或是從網路下載一些免費的色情軟體助興就好。

不過一般男人的住處都太髒亂，也不是都是那麼優勢的，雖然有女友，還是去吃飯，然後上賓館的模式最多。東京賓館收費大抵是休息五千日圓起、住宿八千日圓起，所以一次約會從吃飯到上床大概費用是一萬五千日圓，一年總是還是要去溫泉旅行，或是滑雪旅行幾次，所以總計也不是小數目，但是這大概不能只看成是下半身的消費而已。

有的沒有女友的男人，又不是網釣高手的話，大概參加聯誼，然後用送禮攻勢等，好不容易才能跟女人上床，大概一次花費五十萬日圓都有可能，這與以前男人在酒店裡不斷纏陪酒女人，不斷付指名費，好不容易才能帶出場是一樣的。

當然也有許多男人說，我爲了維持體力，而每個月花兩萬日圓上健身房，或是吃些壯陽補帖等，是否也可以算是下半身的投資呢？

失戀的方法

許多失戀而到外地去旅行的女人，反而有股神祕的氣氛，那或許也是因為失戀而得到餘裕。因此，失戀有時也有許多優點，不能全部忘記呢！

失戀的方法？不是癒療失戀的方法？女人最怕失戀，很擔心自己哪一天打電話到男人的手機或是電話，發現已經不通了；或是哪個晴空染了黃金色銀杏樹影的週日，突然出現幾位搬家工人將他的東西都搬出去了，在空蕩的房間裡，女人放聲大哭。

兩人在相愛時，是很難想到失戀時的模樣，然後許多女人因爲沒有好好失戀，所以都還會留下許多失戀後遺症。直到卅歲之後，完全沒有男人動靜的女人，都是因爲一直在乎那時分手的情人，一執著就是五年、七年，多可怕。所以如果不懂得失戀的方法，就只是將自己封鎖在美好的回憶中，即使新的愛情招手也沒有能力理會。

最近與幾個女人一起談失戀的問題，有的女人表示那要看自己與對方交往多久而定，如果交往一年多，那大概還是會哭溼枕頭的。但是如果交往不久，可能上街去大採購一番，便會慢慢忘記的。

當然能否淡忘與女人的年齡有關，如果還會不斷痛哭，至少心理年齡是很年輕的，所以沒什麼可恥的。

失戀的優點

失戀時，最好不要逞強而故意去融入某些聚會、圈圈裡。其實低潮一定是有谷底的，有時乾脆狠狠地陷入谷底，反而能湧出重新振作的新活力，還有突然因爲什麼小契機，也會想要重整儀容，變漂亮的心情也會復甦過來。

失戀的時候，也要打扮得美美的出門。其實失戀，也可以當作是讓自己的感情重新獲得自由的時候，所以一切不受束縛，或許也是讓自己可以對愛情變得更爲貪婪的機會。而且從有幾分悲哀中站起來的女人，看起來有股不可思議的美感，格外吸引人。許多失戀而到外地去旅行的女人，反而有股神祕的氣氛，那或許也是因爲失戀而得到餘裕。因此，失戀有時也有許多優點，不能全部忘記呢！

對於愛情，最好是全力、毫無保留地愛，這樣如果還失戀的話，那就是那個男人沒有福份享有自己的愛情，這樣的分手，女人也比較不會一直惆悵，當初如果多愛一些就不會分手了。然後，愛也愛到了，失戀時狠狠地傷心，像日本人常愛說的「全身全靈」地承受，這樣的話，失戀也是女人重要的勳章。這樣，自己一個人靜靜地喝茶，也別有一番滋味，或許會有別的發現。

失戀的前兆

不過，失戀後的反應都還是其次，其實所有的失戀都是有前兆的，像男人開始不斷突然更改原來的約定，或是一直說自己很忙。許多男人在與女人交往前，便聲稱自己是「很忙的男人」，等於是買了保險，會占女人許多便宜。還有像是約會時，男人坐立不安，不時看手錶，或是拿起手機到外面去說話等，還有男人的興趣、穿著等，有所改變，其實都是已經出現變心的典型徵兆。

但是女人往往視而不見，或許是無法去面對，然後男人已經預期一段沼澤狀態期，覺得不能不去應付。兩人原本相愛的甜甜蜜蜜，到最後常常都是女人將之揮霍掉了，實在很可惜的。有的女人還託別的女人打電話給自己的男人，問他是否對自己還有愛意，這是最差的一招。事態只有往越來越糟糕的方向進展。如果自己都無法掌握男人的感覺，還要假藉別人的力量來確認的話，那原本就是戀愛失格的。

在可能失戀之前，女人應該想想自己所以整個世界都只有他，其實不過是對他過度依賴，自己想看的電影、想看的書、想去的地方等，全部交給他來決定，將自己的價值觀忘得一乾二淨，其實這對男人而言，也是很大的負擔。而且自己發現沒有對方，連今天中午要吃什麼、要穿什麼都不知道，實在很慘很慘。

如果發現對方已經變心，已經無可挽回了，那麼寧可讓兩人之間留下一段美好的回憶。女人即使無法主動說分手也可以，至少到分手的那一瞬間，還是維持好女人模樣，讓男人分手後覺得無限悔意，讓男人腦海裡的自己永遠是很美的。

所以有許多日本女人還會特別去買分手的新衣，甚至爲了分手而上塑身沙龍。這樣的失戀，有一個對自己或是男人都是隆重的分手儀式，女人自己也才不會覺得是那麼淒慘、可憐。如果那男人不值得自己這樣做，那更是早該分手了。

當然有的失戀是積極的失戀，有時與男人交往或是相處一陣子，開始覺得這個男人不是自己會一直愛下去的男人，但是要與這樣的男人分手，其實也有失戀的感覺。不過，男人有時的確像是自己已經穿不下的衣服，該分手的時候總會來臨的。

至於拋棄自己的男人，則當他是已經遭蟲蛀的大衣，不要一直掛在衣櫃裡，否則連其他好衣服也會一起被蛀掉的。

女人四十真的一枝花嗎？

每個女人當然理想上都是到死都想當一枝花的，不過自己一個人孤芳自賞，而能證明自己是花的可能性很低，幾乎不可能，還要男人不斷讚美、追求，才會覺得自己作為女人的風采不減。

我的一本書裡，有一篇「女人四十一枝花？」貼在與書同名的「黎兒純愛俱樂部」網站，點閱率最高，迴響也最多。

事實上，在台北時，我遇見了許多四十前後的女人，也都對於「女人四十一枝花」很有同感，不過日本最近則正好爲了「女人四十危機」而焦慮。

其實，女人在四十歲前後，開始恢復要當女人的時候，如果沒有男人來幫忙確認「自己還是女人」的話，自然會很焦慮的。

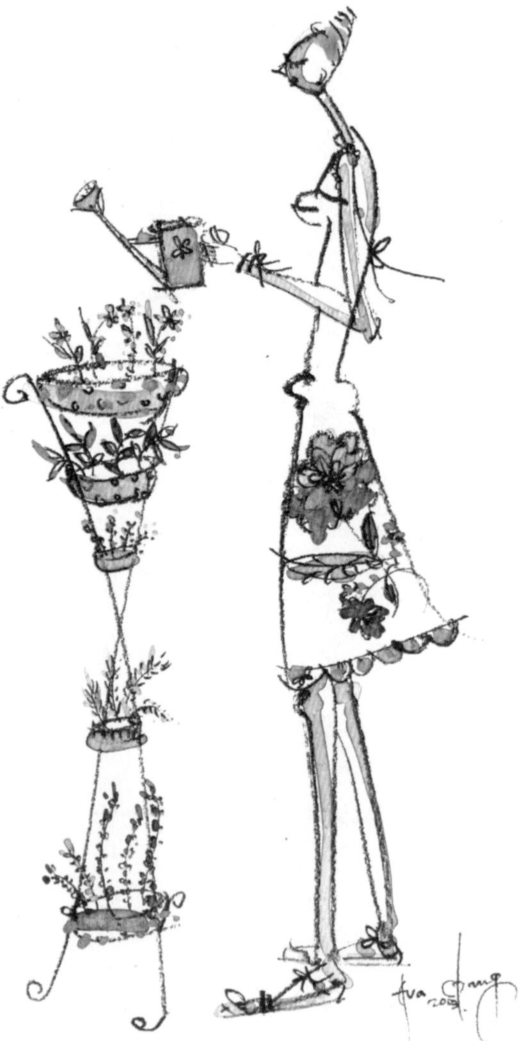

每個女人當然理想上都是到死都想當一枝花的，不過自己一個人孤芳自賞，而能證明自己是花的可能性很低，幾乎不可能，還要男人不斷讚美、追求，才會覺得自己作爲女人的風采不減。

雖然現代的女人，誰也不會想爲了取媚男人而犧牲什麼，不過男人來討好自己，還不是那麼不舒服的事。但是最擔心的是，自己的丈夫已經不將自己當女人看。尤其大部分夫婦在女人重新進入四十發情期時，男人早已經將妻子從性愛對象除名了，當然有時候妻子也不覺得已經歐吉桑化的丈夫是男人。

女人四十一枝花的難處

女人一生應該有兩次戀愛期：第二次便在教養兒女告一段落的卅五歲（或是四十歲）之後。當小孩都上中學之後，過去十幾年都一直壓抑的作爲女人的本能，便會很自然的浮現出來。

問題是，純愛願望以及性慾湧上來時，身邊的男人卻已經對自己視而不見。儘管四十前後的女人，花費很大的精力與財力來維持自己的青春與美貌，公司裡的男人在有什麼活動時，也都已經不再找自己來。已婚的女人如此，未婚的女人有的雖然從來沒有斷糧缺男人的紀錄，可是很可能到了卅歲之後的某個時點，突然已經沒有男人來獻慇懃，沒有男人來邀約，甚至有時穿了新衣，公司裡的男人連「這新衣服很漂亮」的客套話都懶得說了，主要是因爲已經沒有男人在看自己了。

如果有一陣子，男人不看自己的話，就連女人也對自己沒興趣了。有的女人沒發現自己走路都駝背，而且拖著走。在取笑男人老態龍鍾前，已經很久沒照鏡子，沒注意到自己已經歐巴桑化了。

日本社會對於女人的賞味期限是相當苛刻的，所以四十歲前後的女人，危機感很深，有的女人為了證明自己還是女人，會很焦急地去玩一夜情。

做愛是最清楚的一種證明：一大群人去喝酒，醒來時在男人的床上，才匆匆忙忙穿起衣服去找最近的車站在哪裡，可是又覺得沒有愛的性很空虛。現在四十歲前後的女人，才有這種性愛不平衡的問題，因為對年輕女人而言，做愛像上便利商店，或像是去唱卡拉ＯＫ一樣，將性愛分離，所以沒有性或是沒有愛，不是那麼嚴重，但是開始發情的四十歲的人，還是將性愛一起想，所以格外困難。

因此即使自己已經活出自己，也有能力裝扮自己，知道自己想要什麼，洗練而有自信，不過東方男人往往不解風情，所以許多日本女人喜歡去上歐美教師的語言教室，或是舞蹈教室等，那裡的男人比較有欣賞成熟女人的能力與習慣。

在亞洲，女人四十一枝花的難關重重，大概要從教育男人做起吧！

巨乳願望

日本上一次的巨乳熱潮是廿年前，那是因為日活羅曼春宮片所引起的，只是那不過是存在男人的慾望之間，並沒有像現在這樣成為一種社會風潮。

日本著名的消費女王作家中村兔，最近改造自己的胸部，打了一〇七針的透明質酸（hyaluronic acid），將自己原來胸圍七十八公分的的A杯，擴大爲八十二．五公分的C杯，然後拍攝裸照。因爲她已經四十五歲了，她覺得這是最後的機會，而且身爲女人，很想有機會享受巨乳氣氛，哪怕是一輩子一次也好，即使打了一百多針只能維持三週也好。

其實還不只最近以迷你整型體驗記爲賣點的中村兔，日本這兩年的確有直升不下的巨乳熱潮。巨乳的話題接連不斷，其中一個原因是因爲日本女人的胸部的確愈來愈豐滿了，不僅有木瓜杯，甚至NHK山形台還有一位播音員是西瓜杯，也就是至少是G杯，而且乳房的形狀也與以前日本女人很不相同。

日本上一次的巨乳熱潮是廿年前，那是因爲日活羅曼春宮片所引起的，只是那不過是存在男人的慾望之間，並沒有像現在這樣成爲一種社會風潮。

以前只是D杯就算是巨乳了，標準很低呢。後來日本進入AV時代，出現胸圍一百公分的女優，至少要是E杯才算巨乳。廿年來，日本女人的身材完全不同了，像是京都女子大學等研究發現，十二歲以上女人的胸部與廿年前比起來大了二．五公分，而且現在的乳房也比較深，所以可以眞的有乳溝。加上日本女人的臉小了一公分，耳下的脖子也比較細，所以以全身平衡來看，胸部尺寸顯然增加很多。專家指出，日本女人所以胸部發達的原因，是現在初潮（首次來月經）的年齡提前兩年，爲十五歲，卵巢增加分泌女性荷爾蒙。

除了胸部自然進化之外，也有許多社會因素，像性資訊氾濫，如雜誌、AV帶等會刺激女性荷爾蒙分泌，加上現在日本女人「拋棄處女」的年齡，也大爲提前，性經驗當然也會大爲影響分泌。

有些男人的說法是，因爲日本女人的「巨乳願望」很強，所以巨乳化。如果從荷爾蒙觀點來看不全然錯誤。日本華歌爾表示，該廠生產的胸罩過去以A、B杯爲主，但是現在則多C、D、E杯。（事實上，日本保險套最大廠家的岡本也承認，該廠產品的尺寸是比以前大些，所以不獨有偶的。）

女人的巨乳願望是因爲男人？

現在日本演藝界也是空前的巨乳熱，像是優香、小池榮子等，所以也會對社會風氣有所影響，像也有專門的巨乳藝人組合「黃帽」，幾乎每一家男性雜誌每週、每月都要刊載她們的照片，七人的總胸圍是六二八公分，平均幾乎九十公分。

她們認爲現在普通女孩巨乳增加的原因，是因爲穿祖胸裝的女孩很多，雖然胸部大，有的人有自卑感，但是也有不少以此爲武器的巨乳女人，都覺得男人很單純，很快會對豐胸有反應。其實有的女孩必須脫掉衣服才知道是否眞的巨乳，不過大部分的男人都很容易上當。從外表看，現在的貼身杯墊都很厲害，男人從衣服上摸的話也分辨不清的。現在是連F杯的巨乳女人在拍海報時，都會入杯墊的時代呢！

因此說起來，女人的巨乳願望終究還是因爲男人的巨乳願望所帶來的。男人眞的那麼喜愛巨乳嗎？日本的確有不少文學作品很露骨地歌頌巨乳，不過也有日本專家指出，男人會去追求巨乳是因爲不景氣、裁員等社會因素，讓男人的壓力、焦慮增加，在公司喪失自信與榮耀，所以男人心理退化爲幼兒，想回到嬰兒哺乳期，覺得像母親般的巨乳是安全而且充滿愛情，最適合自己遁逃的避風港，也就是巨乳有相當高的癒療作用，能讓人安心、放鬆。原來巨乳還與日本的經濟有關呢！

巨乳是否眞的能使男人的性愛次數或是射精量增多呢？許多男人覺得「經驗談」或許如此，可是並無客觀的根據。因爲儘管日本女人的胸部變大、巨乳化，可是日本男人的性愛次數與精子量長年以來，不斷在減少。所以男人愛巨乳有什麼道理嗎？

儘管有些男人說，那是廿年前的事，不過一旦有位巨乳女人走過身邊，回頭的幾乎也都還是卅歲以上的男人呢！

妻子是不良債權？

以前日本男人想娶妻在家相夫教子，但是現在這種全職主婦已經成為男人的絕大負擔，看成是不良債權、是沒有希望紓解的累積赤字。

日本不想結婚的女人增加，不過現實上是不結婚的男人的比例比較高，卅歲一代未婚的男性有四成以上未婚。許多年輕男人覺得結婚很憂鬱的最大原因，倒不是失去自由，而是自己可以花用的錢減少。看到周邊許多已婚男人爲了小孩的補習錢，只好當五百日圓丈夫，中餐以五百日圓爲上限，發薪日時不過在牛肉飯上加個蛋或是添點泡菜，就沾沾自喜，便眼前發黑，不會想結婚。

以前日本男人想娶妻在家相夫教子，但是現在這種全職主婦已經成爲男人的絕大負擔，看成是不良債權、是沒有希望紓解的累積赤字。

以前女人才認爲成爲有錢人的機會，只有「出生與結婚」兩次，但是現在連日本男人都覺得「男人也不例外」。如果結婚，最好娶會賺錢的妻子，那像是不斷有高利潤、高回收的優良債券，自己的生活條件因爲婚姻而不斷改善。

尤其是日本長年雖然有保護專業主婦的所謂「一〇三萬規定」，也就是年收一〇三萬日圓以下的妻子，還能享受配偶的減免課稅的優待。不過現在這條也要廢除了，社會保險對於專業主婦優待的撤廢，大概也是時間的問題了，所以許多男人都覺得，有專業主婦志向的女人實在越來越娶不起。以前男人吃到女人親手做的便當、料理，或是穿上女人親手織的毛衣都會很興奮，覺得這個女人還滿適合娶回家的，但是現在男人會擔心女人不打算賺錢而只是在家煮飯，家庭取向過強的女人也就是成爲壞帳風險高的女人，反而有點害怕呢！

結婚也是男人人生重要的分歧點

以前日本男人覺得，不中用的男人才讓妻子在外拋頭露面做事，或是能幹的妻子都長得很醜，周遭的人都會投以同情的眼光，但是現在日本年輕男人寧可妻子多賺點錢，即使夫婦的角色完全逆轉也沒關係，有些男人也樂當「家庭主夫」而不疲，在家裡發言權幾乎等於零，想要買大件的東西還得一一徵求妻子同意。不過這也沒關係，主要是自己零用錢與婚前不會差太多，甚至還更多些，因爲房租、水電等，都由比較會賺錢的妻子負擔，自己賺的錢愛怎麼花都不會遭到干涉，簡直是天堂境界，因此娶會不會賺錢的老婆是自己人生重要的分歧點。

因此男人現在結婚也要睜大眼睛，才不會娶到因爲有丈夫可以靠，便動不動鬧辭職的女人，原本是高利潤的女人可能一轉眼變成不良債權。不過也有妻子雖然在結婚的時候辭了職，但是因爲擁有一些專業資格，因此隨時都能再就業，勉強算是安定股。也有女人雖然開始是因爲興趣去學一些玩意，如占卜、照顧寵物、西洋插花等，初時投資還頗驚人，但是沒想到居然能眞的開業而且經營慢慢上軌道，也開始有相當收入呢！

因此有時候男人不能太近視，對於金錢不要太執著，成全妻子的任性與興趣，偶爾也有意外的收穫，尤其是像占卜等都在家中進行，有的透過網頁收費，或是爲雜誌執筆，因此不大影響原來的相夫教子的主婦功能。

許多女人很努力讓自己成爲高利潤、高回收的女人，這一方面也等於提高自己的結婚條件，讓男人不再望自己卻步，或是因此對於結婚有所躊躇。

女人對於男人如此看女人，其實也不會憤怒，因爲如果男人覺得女人的收入對自己的生活也很重要的話，那便會對女人的工作採取配合的態度。不過大部分的女人主要還是因爲想維持自己的經濟獨立自主能力，另一方面也是分散風險，因爲男人也可能隨時遭裁員的。男人也不至於因爲背負了專業妻子的債權，而在精神上、經濟上吃不消，日本的年輕男人現在都寧可當小男人，而不願當撐起一切的大男人。

當然，妻子收入高、工作能力強的家庭離婚率也比較高，所以高利潤、高回收的同時，這樣的女人也是高風險的，反之被視爲「不良債權」的妻子，卻是死心塌地跟著自己呢！

男人的美學

日本人認為，男人當然應該要善待自己曾經愛過的女人，即使分手，也應該好好招呼這些活在「日蔭的女人」，這是男人美學的基本之一。

日本政界最同情的男人，便是自民黨幹事長山崎拓，因爲他的情婦山田加那子眞姓實名地出來揭發山崎，當然也有人羨慕已經六十五歲的山崎還如此精力絕倫，因爲他的情婦根本不只一人，不過加那子這次使盡全力出來告發、出書，而且在外國記者俱樂部開記者會等，讓許多心裡有數的男人毛骨悚然。

顯然如果男人對於不倫沒有充分善後能力的自信的話，最好還是不要搞婚外情，否則讓女人出面揭發，下場還是很慘的。而且日本人認爲，男人當然應該要善待自己曾經愛過的女人，即使分手，也應該好好招呼這些活在「日蔭的女人」，這是男人美學的基本之一。

更令山崎拓心驚膽跳的，還有在五月中旬，有青森知事爲了婚外情而下台的，火花很可能濺到自己而延燒起來。不過山崎的官司至今未了，在控訴週刊雜誌毀謗的官司中，山崎爲了自己而不斷說出許多刺激情婦的話，所以問題越演越大，讓加那子越來越覺得受不了，覺得自己遭到山崎蹂躪，看來根本無法收拾。不僅是山崎般的政治家，就算是一般的上班族，如果不倫對象也採取同樣行動的話，大概誰也招架不住。

以日本的法律而言，如果將兩人的不倫關係向媒體公佈，或是在對方的公司以及街坊鄰居處公佈，使對方的社會評價降低，即使內容是事實無誤，也相當於日本民法的毀謗罪（刑法二三〇條），原則上可以要求民事上的損害賠償。但大部分的情形是，如果女人說的是事實，而且就公共利害而言不違法的話，也可能得以例外處理，也就是不用賠償。

不倫之戀，最重要在於善後處理

不倫之戀最重要的部分，不是交往的過程，而是善後處理。因爲不倫往往不會有結果，所以交往過程是享受，要注意的是分手的部分。

山崎約在一年半前，與加那子分手的時候，曾經給加那子五百萬日圓，算是分手錢。當然以一般的上班族而言，如果給了五百萬之後，還出面來告發的話，則會想要加那子還錢。因爲通常愛人如果認爲那是分手錢而接受的話，那算是清算了兩人的不倫關係，並視爲已經達成不去暴露兩人關係的協議，所以如果眞的有一方要鬧得玉石俱焚的話，那可以要求退回分手錢以及因此而遭解雇等的損失。

如果因爲一方不付錢，而愛人（不論情夫或是情婦）說：「如果不付錢的話，便暴露關係。」則算是恐嚇罪，法院可以要求愛人不得暴露。此外，像加那子表示自己曾經爲了山崎墮胎兩次，如果這是兩人都同意的，那就沒有問題，女人不容易得到賠償。但是如果男人承認自己是強制墮胎的話，那女人便還有求償的餘地，尤其是女人希望避孕而男人拒絕，使之懷孕的話，法院會認爲男人的責任重大，而要求男人支付賠償。

山崎因爲有這樣的醜聞，所以下次選舉大概會有問題，山崎爲此幾乎不大能在公開場合大聲主張什麼，政治生命相當受損。

他的妻子也與任何日本政治家夫人一樣，維護外遇的丈夫，還親自燒蛋糕給記者們吃。但是比起來，像其他也沾腥的政治家，如橋本龍太郎等，卻從沒有被女人告發，即使告發也都是對橋本龍太郎充滿憐愛，所以橋本龍太郎沒有因此受傷。像是與大陸女公安交往的問題，橋本甚至爲那女人安排了再嫁的對象，還讓他們去美國避風頭，所以女人三緘其口，算是謹守了男人的美學吧！而且橋本不會否認自己的風流，不會刺激女人，社會上也都當成韻事看待，圓滿收場。

政治家最怕聲譽的問題，至於普通上班族擔心的，是會不會遭解雇。如果男女兩人是同一家公司，鬧出問題的話，日本企業常常是會將女人調開，重男輕女的傾向這時便暴顯出來。一般而言，不倫屬於隱私部分，原則上並非爲懲戒對象，日本企業的就業規則通常規定：「如果有攪亂社內秩序行爲，則爲懲戒對象。」如果愛人一天到晚到公司吵鬧，或是在媒體揭露社名，影響公司地位或是業務的話，那便可能成爲懲戒對象呢！

不倫過程中，很可能出現的是，男人會說：「我一定會離婚而與妳結婚。」來討好愛人，或是男人爲了與愛人結合而捨棄一切離婚，結果遭愛人拋棄，兩者都會想控訴對方，但是因爲舉證不易，所以反而求償不易呢！說謊的男人或是被拋棄的男人，則沒有美學可言。

男人約會禁忌

男人自鳴得意的事，可能在女人看來都很土、不入流的，當然有些男人禁忌，如「邊看AV，邊吃飯」等，男人還是照做不誤，不過不要給女人看到是最重要的。

夏天是邂逅的季節，是多情戀愛季節。不過好不容易才從天上掉下來的機會，卻可能因爲自己不經意的動作，或是弄巧成拙的事，連一個美好的回憶都留不下來。男人自鳴得意的事，可能在女人看來都很土、不入流的，當然有些男人禁忌，如「邊看AV，邊吃飯」等，男人還是照做不誤，不過不要給女人看到是最重要的。

男人如果是因爲一些無可抗拒的因素，如家世、收入等，而吃不開，倒也算了。其實現在日本女人已經比較不重視三高問題，所以還是男人本質的問題。不過本質無法瞬間透視，女人只好憑著自己的「直感」與「感觸」來判斷。現在女人也不是省油的燈，其實有些地方是很直接與本質有關，因爲現在男人也不大懂得掩飾自己，比起女人，男人反而不逞強。

男人約會時，選擇年輕人愛用的連鎖居酒屋、攤販的屋台村等，以誇示自己的年輕，但是才剛開始約會，女人認爲原來自己只値這幾個錢，沒有得到應有的尊重，會咬牙切齒一番。

但是去上高級的壽司店或是烤肉店、日本料理店等，則又像是不懷好意的糟老頭做的事。有的女人現在也很喜歡吃壽司、烤肉，對這樣的女人可能就不會有反效果。

當然用餐時，點菜遲遲不決、優柔寡斷也是不好的，因爲現在的女人對於餐飲都比男人更精通、更有獨到的品味，所以如果自不量力，還不如就讓女人點自己想吃的東西。

用餐時，將小毛巾來回擦，或是擦完後，還展開看看有多髒的男人，以及毫不避諱剔牙，甚至將剔到的東西看一眼後，吃下去等，都是歐吉桑的標準動作，能省則省。送禮給女人時，一直強調不是金額的問題，而是「心」的問題，分明是在爲自己的小氣辯解。

男人如果天生就不是英俊小生還無所謂，最擔心的還是對於自己的外表有過多的主張。

尤其是許多自以爲是很有個性的髮型，例如學一些偶像搞「Natural Long」，大部分男人的髮質若留長都顯髒，而且看起來會讓人覺得這樣的男人在公司裡沒有什麼份量。

頭髮有所主張的話，大概在事業上反而沒有主張，不過理個小光頭、小平頭，也讓人覺得像是手藝很差的廚師，或是沒頭腦的人。有的女人其實對直接看到男人的頭皮有過敏反應，所以不是在電視上讓人看慣的偶像的話，還是不要隨便搞怪，跟著話題上的木村拓哉或是貝克漢改變髮型的人，則讓人倒盡胃口。開車在等紅燈時，便一定拉下車子的化妝鏡整理頭髮，或是走在路上用展示窗玻璃反射整理頭髮的男人，也是過於自戀的男人。

此外，服裝也要注意，有的男人第一次約會便穿義大利西裝去，味道與牛郎沒兩樣，因爲日本人穿起來不會合身的阿曼尼或是凡賽斯，幾乎已經成了牛郎的制服。

也有人平時穿上班的西裝還好，但是假日穿便服穿得太hiphop的低俗系服裝。如果是大學生還好，過了廿五歲的話，則會讓女人覺得很絕望。此外，有的男人對於街頭流行非常敏感，也會讓女人覺得注意力還有其他用途，像有的男人的手機吊飾，多得看起來比手機本身還重，也是無可救藥的。

一項調查顯示，女人有八成討厭男人手裡拿著一個皮包（second bag），主要是很娘娘腔的感覺，也不喜歡男人背背包，尤其身材低矮的人很不適合。

有的年輕男人，因爲看到男性雜誌在與女性雜誌的「美白」對稱般地推出「美黑」，使男人相信晒得黑黑的看起來較酷。可是女人覺得男人又不是AV男星，有何根據黑黑的比較美，最糟的是許多男人把自己曬黑後，臉上馬上就露出自己很行的表情，反而奇醜無比。

但是太白也不好，看起來還是有點東亞病夫的感覺，連精神也很脆弱的樣

Ava Chang

子。但是看著肉體系雜誌，而在鏡子前不斷鍛練自己的自戀型男人，大概也無法討得女人歡心，還是他們原本就是不想討好，只要自我滿足就行。

男人過度關心自己不好，不過男人將注意力過度拿來關心女人也是不行的。有的男人一見面，便對女人上次約會時的服飾打扮如數家珍，連女人自己都不記得的事也都記得。古早時代的女人或許會很高興，但是現在女人可能會覺得很囉唆，是盯梢客氣質的男人。

也有男人自覺自己對於「好女人」很懂，動輒出嘴指導，像是有的女人心情不好，去換個髮型或是口紅，來變更氣氛、形象，男人發現後，卻說「妳的口紅還是濃一點好看」等，提出不識相的勸告。或自以爲懂女人，老是說：「我就說嘛！女人就是這樣！」老愛猜女人的年紀。

有的男人自以爲自己是浪漫主義者，動不動便寫詩送給女人，或是很喜歡說自己的文學少年情懷給女人聽，或是很慇懃地發簡訊給女人，也是讓女人無法消受。

也有男人一直表現很有自信，約會時強迫女人聽自己不成熟的人生哲學，不斷說明：「妳知道我那時爲什麼要這麼做？」或是只談自己拿手的主題，談自己有興趣的事，不大聽女人說話。還有有些男人當眾大舉翻閱色情系的週刊雜誌，尤其是在電車中讀色情報導，或摸裸體照片摸得快要流口水，也讓人受不了。

日本在泡沫經濟時代，男人都想要跑車，事實上不是每個女人都想當跑車助手席的女人，因爲日本開跑車的男人看起來都是沒腦筋的末代少爺。高級日本國產車也不行，好像是老爸的品味。兜風時，車內沒有BGM，或是只放廣播電台的，女人會覺得沒氣氛，不過如果放些濱崎步或是宇多田光等小女生喜歡的流行歌，則倒胃口，但是一定要女人聽自己編纂的帶子也太煩膩了。

大抵吃不開的男人不是太沒自信，便是自信過剩，對於女人說話過度自卑，或是帶酸氣等，都不是辦法，但是自以爲很行地把手插在口袋裡唱歌的男人，或是說笑話沒說完，自己便笑出來的男人，也永遠無法讓人覺得可愛。

Part Four OL的理想與現實

每個時代的ＯＬ都很不同，從ＯＬ的進化本身，
便可以看出時代的變遷。

辦公室裡的性偶像

男偶像大抵真的是女社員所心儀的；至於女偶像，大概都是公司政策決定，例如找公司公關部門，或是門口漂亮的「受付」，也就是服務員，大抵都是「社花」，不過那不一定是男人的性偶像呢！

企業內常常也有一些非常吸引人的男人或女人，其實外表、氣質都不輸給電視裡的偶像，常常是群芳追逐或是眾僧難捨狀態。有的職場女人比較大膽，還虛擬了「○迷俱樂部」，當然俱樂部本身不會有活動，可是愛慕那男人的女人都可以自稱是會員，一起公然討論他，或是當著面糗他一番，這是女人愛慕男人時的特權。

女人喜愛的性偶像，與工作能力以及職位高低有點關係。（權力有時也會讓男人有魅力，不過也會讓男人變醜陋的。）反過來，如果眾男生愛慕某位女同事，如果不經同意，大概無法輕易成立「○迷俱樂部」，尤其是現在日本企業對於男人的「性騷擾」管理很嚴格，否則打起官司，有損企業形象呢！因此男人愛慕女人，反而只能偷偷地來，胡言亂語的後果很慘重的。不過日本男人之間，還是有轉讓女友的事，在台灣，我也確實知道有這樣的事例呢！

日本許多雜誌常常會過一段期間，便去做公司裡的偶像主題，有男偶像、女偶像。男偶像大抵眞的是女社員所心儀的；至於女偶像，大概都是公司政策決定，例如找公司公關部門，或是門口漂亮的「受付」，也就是服務員，大抵都是「社花」，不過那不一定是男人的性偶像呢！不是端正的女人就能成爲男人的性偶像。許多十分嚴謹、正派的男人，骨子裡居然眞的很喜歡有點風塵味的女人。

我的考察是男人其實可以大分爲兩種：就是喜歡風塵味重的女人，以及不喜歡風塵味重的女人。所以即使在一些類似文化沙龍的集會中，也一定會有女人是作風塵味裝扮，也一定可以擒到一些男人來拜倒的。

男人的性偶像，大多是女人的公敵

男人的性偶像的女人，大部分也是女人的公敵。女人都會覺得那麼會搔首弄姿的女人有什麼好，都會覺得男人爲什麼那麼單純地就讓那樣的女人騙了，而且這些有點風塵味的女人都已經習慣讓男人奉承，她們對於同性討厭她們非常遲鈍。即使察覺到大家不懷好意，也根本不大在乎。

所以其他女人對於男人們爲之瘋狂的性偶像，也自認不是對手。女人覺得自己很容易看穿在男人面前吃香的女人的把戲，覺得那樣的女人很做作，都是玩假的，其實那位風塵味濃厚的女人是四處玩弄男人，欺善怕惡。好心好意去忠告男人，但是男人往往不領情，反而會責怪其他女人對那偶像女人太刻薄，有誤解，不知道那女偶像的優點，而且還會很主動地爲那女人說項、辯解，解釋那女人有時翻臉無情，其實是因爲從小沒有得到溫暖等。

這些成爲性偶像的女人穿著比較大膽，她們很會用自己身世、祕密來俘虜男人。其實許多話根本已經是公開的祕密，但是聽到她對自己說時，男人都會以爲是只對自己告白而已，所以格外同情她，而且覺得自己是得到她的特別信賴，才會說自己不幸的境遇給自己知道。

其實不僅是女人中，有專以自己的故事來爭取男人的寵愛，男人之中，也不乏這樣的男人。事實上，台灣也曾出現過一位名男人，雖然對許多女人還頗一視同仁的，不過每位女人都曾經以爲自己才是他唯一的女人，他的口頭禪便是：「我特別跟妳說。」

不過，這年頭喜歡聽男人訴說自己的女人，已經逐漸減少了。以前日本女人喜歡聽男人說自己的理想，像男人想要自己創業等。不過現在不景氣時代太久，只是在說自己夢話的男人，已經不是那麼容易取得信任。反之，外表以及學識、談吐不錯，而且又腳踏實地、孜孜努力，而且還有點不遜反骨的男人，現在才是日本女人的性偶像典型呢！

上班族的大苦難（上）——免費加班

企業現在對於強要加班為犯罪意識還很稀薄，最痛苦的大概還是怕丟掉工作的上班族。苦難從現在只會加劇呢！

日本人連續五年，每年都有三萬人自殺，其中中高年男性最多，所以現在聽到「三萬」這個數字都會有點心驚肉跳。現在對於上班族而言，還有另一個「三萬」，就是二〇〇二年上班族向日本勞基準署申訴的企業違法不付的加班費，也達三萬件。

因爲不景氣不斷持續，所以免費加班問題愈來愈嚴重，而且對於上班族而言，等於是新的地獄。現在許多男人都因此沒有時間搞外遇。加班多，其實也是男女無性愛、家庭崩潰以及過勞死、憂鬱病以及自殺的元兇！加上這是免費加班，眞的是孰可忍也。

三萬七千多件的申訴，其實只是浮出水面的冰山一角，其他還有數不清的免費加班一直在進行中。日本厚生勞動省在二〇〇三年五月，還制定一項消除免費加班的方針，因爲該年二月，日本首次出現因爲企業強迫加班而遭逮捕的案例。

厚勞省開始對於不付加班費的企業進行指導，要求他們付錢。二〇〇二年一年少付的加班費，至少有八十幾億日圓。最容易強迫員工加班的行業，除了製造業之外，還有商社也是不眠不休，此外金融、媒體、廣告業這些令人羨慕的業種，其實掀開來也都是加班奴隸而已。許多企業甚至因爲擔心留下違法的證據，還將打卡鐘撤走，或是將辦公室關門，但是卻要員工將做不完的工作拿回家去做。

現在大家羨慕的ＩＴ相關產業，因爲競爭激烈，所以加班格外嚴重。有的加班甚至一個月超過一百個小時，例如現在卅五歲的井上，最近三個月都是從早上九點到夜裡十二點，每個月只有三、四天休假，可是也都得加班，常常通宵。井上也跟上司商量，但是上司說：「加班費以及假日上班的津貼，都包括在年薪內。」井上的公司去年引進年薪制度，他的薪水的確提升了一滴滴，眞的是日文俗諺的「麻雀的眼淚」般，但是公司裁員，工作量變成以前的兩、三倍，如果抱怨的話，大概自己會遭裁員，十分恐怖。

企業加班越來越惡質化

日文對於免費加班稱爲「service加班」，也就是一種奉獻，就好像男人在假日帶妻兒出門去旅行、吃飯等，算是「家族service」，男人藉此確保維、持家族關係的利益。「service加班」，是企業要求員工對企業免費犧牲奉獻的加班；原本service，是對人奉獻而不求回報，對象應該是人才正確，而且是自願的，但是事實上「service加班」是被迫居多，員工擔心遭裁員而加班。這種免費加班基本上是因爲裁員形成的，如果企業不要強迫免費加班的話，將可以在日本增加一百六十幾萬個就業機會。對於生存不易的企業而言，只要雇用耐操的員工就好，是顧不了總體經濟如何的。

過去日本人也經常免費加班，但是那時是企業非常照顧員工、員工對企業也有忠誠心的時代，員工免費加班不以爲苦，但是現在加班都只是因爲企業節省支出，而且以裁員來威脅員工的剝削而已，所以員工很難忍受；有的企業還要求員工作假，像是打卡表上要湊成「一個月加班在廿小時以內」，而且有的公司裡，如果你去申請加班費，上司會說：「是因爲你工作進度落後。」等於把你當作無能的人對待。

有的公司要求員工提早出門，從早上六點上班，但是打卡從九點開始打卡；晚上做不完的帶回家，在日本叫作「hurosiki（風呂敷）加班」，也就是用包袱巾包回家做。有的企業要求員工免費加班，而且還不准報告上司，因爲這樣的話，公司可以當作不知情，是員工「自動」加班。

許多公司制定了許多根本不可能達成的營業目標，所以如果不拚命加班的話，大概都做不完。此外，企業加班要求也越來越陰溼、惡質化，像是下班後，讓員工先回家休息一小時，然後集合在附近的設施再繼續加班。因爲回家過，所以不算加班，也擔心勞基署抽查，所以還關上電燈而用手電筒來敲電腦

呢！

企業現在對於強要加班爲犯罪意識還很稀薄，最痛苦的大概還是怕丟掉工作的上班族。苦難從現在只會加劇呢！

上班族的大苦難（下）——創業的夢想與現實

當一日圓社長的滋味真的不好受，即使可能因此有許多交際費，見識也比以前廣博。唯一的好處大概是不用聽命於人。

大部分的上班族常覺得「遇人不淑」，遭遇到愚蠢不堪而且老推卸責任的上司或是同事，或是自己被分配到毫無展望的職位，每天只是出賣自己的勞力，並無法從工作上得到成長。

尤其是日本人一旦進入一個公司配屬的職務屬性，大概都不大可能變動，像商社中被分到「鋼鐵」部門，很可能一輩子都是在恨鐵不成鋼，這是日本職務專業的結果。但是很可能自己對於配屬的工作屬性毫無興趣，這時候連日本人也都會想要創業，其他還有因爲自己公司的笨蛋老闆的緣故而倒閉等，尤其是日本政府今年推出資本金一日圓便可以創業的「一日圓社長」制度，因此大家相繼創業，有大量的社長誕生。不過，下場如何呢？

當然即使不是各種運氣不好匯集一身，上班族也都很自然地會有想創業的慾望。以前日本要成立公司，需要一千萬日圓的資本金（有限公司是三百萬日圓），但是二〇〇三年二月通過一項「中小企業挑戰支援法」，而且鼓勵創業，四月還推出「創業家大量輩出計畫．Dream get」的制度，希望每個人都能實現夢想。

所以理論上身無分文，實際上有個日圓數十萬也能創業當社長的時代來臨了，否則以前想當社長是非常遙遠的夢，只有在新宿歌舞伎町的風化街遊蕩時，皮條客會不斷喊男人爲：「社長！社長！」那種時候聽來格外刺耳呢！不過現在有幾分眞實性出現的話，就覺得也還不錯。

一日圓社長的滋味

不過誰都能成爲社長的時代雖然來臨，問題是能當多久？原本自己創業是沒人能將自己砍頭的，但是結果自己勒自己脖子、自己砍自己頭的悲慘景象，還是不免要出現的。因爲創業畢竟不是那麼容易，尤其是日本的中小企業從一九八〇年後半以來，便是「廢業率」超過「開業率」，也就是關門比開門的還多許多，最近破產案件已經超過一萬八千件，連續創新高，不能說是創業有利的時代，因此創業想穩操勝算相當不易。

大部分的創業社長都是從自己喜愛或是擅長的領域著手，像成立製作節目公司、小廣告公司、公關公司、電器維修公司、商品銷售公司等，所以能創業的領域有限，還是受制於資本不足的問題，因此像大前研一便認爲日本政府只是降低資本額的下限，是毫無意義的，應該要積極出資來支援才行。因爲以日本環境而言，要眞的創業其實最少需要一千萬日圓，否則創業初期大概所有的力氣都花費在資金週轉上。果然如大前所說，許多創業族發現自己當老闆，上班族時代的存款或是退職金都不斷減少，一個零一個零地減少，還滿恐怖的。

許多創業社長發現眞的創業之後，不僅自己得親自拉客做業務，還有各種會計雜務也都在夜深人靜時必須處理，因爲請不起多餘沒有生產性的人力，自己幾乎沒有睡眠時間，運動不足，然後自己實際的淨收入比上班族的時候少多了，得到憂鬱病概率非常高，不少這種創業社長都繳很多錢去上些紓解壓力與焦慮的座談會。

唯一的好處大概是不用聽命於人。還有日本的女人對於「社長」（相當於總經理）的頭銜很沒抵抗力，紛紛自動投懷送抱，看起來許多女人根本不看報紙，不知道現在日本也是招牌掉下來會砸到社長、董事長的時代。因爲只要一日圓便能成立公司的話，以後說不定上班族還比較少呢！這些女人大概想不到眼前這些社長都因爲週轉不靈，看到高利貸的宣傳單，眼睛都快要蹦出來了。以前從不信邪的一些男人，創業之後，突然十分迷信，滿手都是開運的吉祥物，令人難以相信。

但是當一日圓社長的滋味眞的不好受，即使可能因此有許多交際費，見識也比以前廣博。許多剛創業時，不容易得到信用、知名度等，聰明的創業人會利用自己設立的公司地點爲優勢，如在銀座、丸之內等。辦公室最好不要好大喜功，只是三坪大小也好，等有點成績後，再換大一點的辦公室。稍微有點成績，不要自我膨脹，最重要的，還是要有點過人之處，如電設技術或是廣告創意等。沒有把握的人，還是只好暫時忍受低薪，或是蠢不可及的上司吧！

女上司難纏？

大部分的日本女主管，覺得問題最大的，不是自己作為女人應該如何自處，而是與到昨天為止還同級的同事如何維持良好關係。

日本企業的女主管雖然逐漸增加，不過也只占管理職的8.9%，與歐美國家佔了三、四成的情形完全不同，因此許多女主管的表現還不是那麼自然。日本上班族，尤其是卅歲以上的男人，對於「上司是女人」，還不是很能接受，而給女性主管看的管理學的書也非常多，看來雙方還需要相當的適應期吧！

日本女性主管比較多的，主要都還是外資企業。純日資傳統大企業，雖然職場裡也有女人，但是都是助理職居多，所以許多男人跳槽到外資公司，對於女性的活躍相當吃驚，像原本以爲「營業是男人的工作」的偏見，只好拂拭淨盡，不能再隨口說：「那我叫我們的小姐送過去！」的台詞，因爲公司裡「上司是女人」的情形多起來，男人說話也要小心點。

日本企業爲了加強競爭力，所以採取重視業績的「成果主義」的公司越來越多。男女完全平等，評價基準明確而公平的話，許多女人便很容易出頭，所以公司內小組的女性主管越來越多，男性員工也會慢慢沒有「男人、女人」的意識，尤其是很忙的地方，根本沒有閒工夫來計較性別問題。

許多女主管表示：「不會因爲是女人，所以特別注意什麼。」不過也有許多男人表示：「所以沒意識到上司是女人，是因爲眞的沒有女人味，尤其工作起來時十分俐落，所以不會覺得對方是女人。」尤其現在四、五十歲的日本女人，能當上主管不容易，通常先將自己內心的「女人成分」都消毒完畢，才能與男人競爭，像歐美電影裡香水濃厚而穿著豔麗的女上司，在日本企業裡並不多見。

日本許多企業的設施都是以男人爲主而設計的，甚至連公司裡的空調也一向都是以男人穿了西裝爲基準而設定的，但是女人因爲夏天等服裝比較單薄，而且通常容易手腳冰冷，所以如果辦公室有女上司，或是女同事多一點，許多男人表示最大的不同，便是許多女上司常常會以自己的感受來關掉冷氣。

男女平等，首先要進行意識改革

日本內閣從二〇〇一年，開始提倡「實現男女共同參與企劃」，促進女人較容易去爭取主管職位，效果大概要過幾年才會出現。不過除了外資企業之外，許多與女人直接相關的企業，如化妝品、內衣等，也開始積極啓用女人爲主管，像是資生堂也是到幾年前才公佈企業的四項基準，像是「不計齡」「無性別差異」等，決定讓員工不分性別而能發揮力量，不過爲了這些原則，必須進行相當多的意識改革等。

九八年時，許多日本企業的社內調查顯示，男人覺得「女人反正馬上就辭職了」，女人自己也常覺得「也沒有必要承擔那麼沈重的工作」，所以有女主管出現時，不僅是男人無法接受，有時女人也無法接受。不過，最近五年來，日本女人覺得自己有獨立的經濟能力是精神獨立的基礎，所以都不會因爲結婚生子或是育兒辭職，對於升遷也出現相當的野心。

大部分的日本女主管，覺得問題最大的，不是自己作爲女人應該如何自處，而是與到昨天爲止還同級的同事如何維持良好關係。現在卅歲以上的日本男人，總是覺得女人要當自己上司還無法接受，因此女上司都得特別努力去獲得男人的尊敬，像是比男性更不能發脾氣，否則會遭批判爲「會歇斯底里的女人」，尤其要對男女公平，否則許多女性部下馬上會傳出「她只喜歡男人」。

還好現在卅歲以下的日本男人逐漸中性化，所以男人化妝品大爲暢銷，男人不再強調非要像男人，男人服從女人對他們而言不是難事。

不過，他們很可能毫無禁忌地將女上司當作是可以奉承，而占便宜的對象，或甚至會想藉著與女上司有些個人交情，而得到工作上的方便或較佳的評等，這或許是女主管要特別小心的吧！

就像男性主管有時也有女部下想以性魅力來取得方便一樣呢！但是因爲是女主管，所以格外受矚目，尤其其他女部下的眼睛格外銳利。也有許多年輕男人抱怨自己的女上司吃豆腐情形嚴重，所以女上司要小心，別讓自己變成令人討厭的歐巴桑。

OL進化論

因為職場佔人們生活的比例越來越高，所以對於職場的些微變化，也越來越敏感，日本的OL文化已經成了非常重要的主流文化，OL的進化也是所有人都關切的。

日本OL（上班仕女族）是日本社會永遠的話題，也是日劇、漫畫等經常出現的角色，像是「庶務2」等即是此一代表作。

每一個時代的OL都很不同，因此OL的進化本身，便可以看出時代的變遷。最新調查顯示：單身的OL中，兩個人之中有一人是「終身單身派」；OL中有65%的人想要買自己的房子，然後現在的OL都會想要強化自己的資歷，而積極去考各種與經理、財務、經營、企劃等有關的資格。

對於男女的角色分擔，尤其對於生兒育女觀念，也因為年齡差距有很大不同，這是因為每一位ＯＬ歷經的時代氣氛是不同的，有專獵三高派、待婚派、升遷至上派、國際派等，許多領風騷的偶像也有助長波瀾的作用。

從ＯＬ的進化，看時代的變遷

日本漫畫家秋月理絲，畫了四格漫畫「ＯＬ進化論」，在「Morning」連載，單行本共賣了兩百五十萬本，便是描寫已經進化了的當代ＯＬ的生態。因為職場佔人們生活的比例越來越高，所以對於職場的些微變化，也越來越敏感，所以對於能以此為主題的各種漫畫、小說等都很容易產生共鳴。日本的ＯＬ文化已經成了非常重要的主流文化，ＯＬ的進化也是所有人都關切的。

現在已經四十幾歲的京子便說：「我剛入社時，大家都是工作兩、三年便辭職，而且認為是理所當然，也就是廿四歲左右便因為結婚、待嫁準備等而離職，所以原本在職場中尋找一流企業的人，便很俐落地就『壽（結婚）退社』。」女人的人生還是由結婚對象來決定，丈夫在哪家公司上班至為重要，女人只是「期間限定」的短期勞力，只有年輕時有用。所謂OL就是每天穿同樣的制服（要洗燙整潔），倒茶、影印等是理所當然，還偶爾要幫男同事或是上司買香菸、便當等。

這個時代也就是像山口百惠般，一結婚便生子而放棄工作；即使做下來，總是在卅歲左右面臨選擇，要生孩子，還是繼續工作，因爲當初育兒休假制度並未齊備，所以即使結婚沒辭職，遇到生孩子這個難關一定會辭職，然後等到孩子長大再出來打工。比較有毅力的OL便會努力去拿個MBA，以確保工作能持續做下去。這一代的OL，因爲日本企業非常歧視女人，所以都會精明地去找外資企業，或是培養自己的語言能力等，能獨立作業或是有利於婚後再就業，不過總是要相當逞強才能成爲「女強人」。

稍微年輕的卅五歲一代，因爲在泡沫經濟時代大開過眼界，加上正是日本開始承認讓女人擔任依賴實力工作的「綜合職」，而不只是輔佐職而已，因此OL進入比較能自我實現的時期。

不過因爲泡沫時期，只要稍稍努力，便會有成果，因此很容易無畏地往大目標衝鋒陷陣，但是因為青春時代萬事都太順利，因此有點欠缺現實感，對於世間的估算太過單純。

因為青春時期什麼都來得太容易了，而無法吃苦，而且還讓男人捧在手心裡疼，因此工作上稍有挫折，或是遭上司罵，動不動就會辭職，因此公司也還欠缺重用女人的經驗。所以滿口「綜合職」，除了有些女性商品開發小組等的消息在媒體絢麗登場，事實上眞正想在事業上有所發揮的綜合職ＯＬ，常很失望地離開。

當然，也有些人珍惜這種得來不易的機會，而培養自己的實力，所以現在日本的公司內許多女性中級主管都是卅八、九歲的居多，她們工作熱心，像是大姊頭，對於週末加班等不會像現在年輕的女人一般斤斤計較，還存在一點愛社精神。

但是事業與家庭都想兼顧的女人，對於自己的興趣也不願意犧牲，像是松田聖子般的媽媽偶像，得到這些女人以及時代的肯定，每天都過得很忙碌而充實。她們也打高球，也去烤雞店、燒肉店約會，以前歐吉桑的專屬領域逐漸遭

她們侵犯；她們覺得累了，也會找人來按摩，有空常去國外旅行，夏威夷、英國等都是最愛，皮包、圍巾都愛用GUCCI，所以當OLD GUCCI回頭流行時，她們最爲得意。

日本不景氣已經十四年了，現在卅歲左右的OL，是泡沫崩潰後的九二年至九七年才入社的，所以就業不容易。這些OL從高中時代起，便被稱爲「草莓世代」，因爲是戰後嬰兒熱生下的「團塊世代」的第二代「小團塊」。

她們的消費動向能開風氣之先，後來雖然好不容易考進一些難考的大學，但是在要進社會時運氣很差，泡沫崩潰，她們正好在泡沫與通貨緊縮的夾縫中，尤其是泡沫是在自己眼前活生生地結束，所以雖然見過場面，能作誇張演出的同時，本質還滿樸實的，代表性的偶像，如現年卅三歲的中山美穗。

這些OL積極地去接近自己想做的工作，積極地換工作，通曉如何提高自己的商品價值。這一代是很愛名牌、用慣名牌，並自己去海外採購名牌的OL。她們對於海外不陌生，所以大學畢業後，有人直接去海外深造，返國後以專業能力就業。她們是對於逐漸轉向爲實力主義社會的日本，適應得很好的人，她們的打扮逐漸中性化，不會諂媚男人，穿長褲，也塗黑指甲油，然後戴用男錶。

現在最年輕的一代則是通貨緊縮時代入社的ＯＬ，她們知道公司隨時有倒閉的可能，不相信終身雇用制度，所以雖然工作能力還滿踏實的，並且得到肯定，但是只要有好機會便會馬上跳槽，或是找比較可靠的公司。她們雖然年紀輕，但是看破現在這種時代再怎麼努力，成果也有限，所以不會將立身安命之地放在工作上，一切淡然，不指望升官。因爲就業不易，所以乾脆當自由打工人，或是很輕易地自己創業。她們覺得與其忍耐去當廉價的正社員，寧可培養自己的專長而當高價位的派遣人員。

ＯＬ越來越進化，她們有許多野心，像是買房子等，因此也成了帶動景氣的生力軍，不可忽視呢！

全是女人的職場難挨（上）

在男人看不到的地方，許多女人的鬥爭相當露骨呢！

我在台灣去了不少家公司，發現精明的老闆都愛雇用刻苦耐勞，而不會吃裡扒外的女人。（這不是歧視男人，而是認爲男人比較有野心。）有的公司居然除了總經理之外，都是女人。

要是在日本，全是女人的職場其實不好過。台灣的情形或許稍微好些。因爲日本社員的輩分很講究，即使在男性社員之間，已經逐漸沒有這樣的倫理講究，但是在女人之間則還是很清楚的。

有時惡霸的女同事，其實與年齡、資歷沒有關係。有的女人大學剛畢業，進公司沒兩、三年就很兇悍，而且在公司裡自組派閥。女社員之間有欺負、吵架、陷害等，不過還是比男人的鬥爭表面化。男人鬥爭是殺人不見血的，但如果職場全是女人，而沒有男人平衡的話，也是夠精彩的了。

女人之間的鬥爭，相當恐怖

有許多職場幾乎沒有什麼男人的，像國際線空姐的職場，因爲海外航線時間非常長，在密閉空間以及客人面前不能太露骨地爭執、反抗，其實相當恐怖。比起會性騷擾的客人而言，許多前輩空姐反而更難招惹。如果穿來上班時的便服是比較鮮明的名牌服飾，或是比較漂亮而經常遭演藝人員、名流等詢問電話號碼的年輕空姐，大概很容易成爲資深空姐欺負的對象。

欺負的方法大抵是讓她們去打掃廁所。經濟艙幾百名客人，但是只有五、六間廁所，所以常常會塞紙等，這些打掃都是美麗的空姐要做的。有的飛機上，還故意不擺道具，而讓她們用纖細的手，活生生地伸下去處理馬桶內的「遺物」。

空姐其實是非常吃力的肉體勞動，所以像絲襪脫線等是常有的事。前輩空姐常會抽空找看不順眼的空姐來教訓說：「妳看妳！成何體統！那樣的腳也敢出去客人面前？太不像話了，完全不知道注意自己的裝扮，一點敬業精神也沒有。」

日本關於ＯＬ（上班仕女族）的電視劇非常多，像是「庶務２（課）」等，這是因爲日本職場生活時間很長，所以公司裡通常也有很多讓員工生活的空間，像茶水間、更衣（穿便服來換制服）的衣櫃室、員工餐廳等，然後團體去旅行、聚餐等私生活的接觸也非常密切。

許多ＯＬ都將自己人生重點放在職場中，因此如果有什麼不滿，攻擊、復仇格外鮮烈。有的女人格外受寵於歐吉桑的上司，常常讓上司請吃午餐等，所以掛在衣櫃裡的制服，遭到其他女同事用歐吉桑們愛用的髮油塗得臭死的情形也常見。大概上司寵愛的女人都很容易受害，像是上司出差回來，送給女同事的禮物中，如果有誰的比較豪華，那就慘了，可能故意被搞些花樣。在日本有不少人對蕎麥過敏，有時還會致死，因此明知如此，還故意倒了混有蕎麥茶的紅茶給那受寵的同事，讓她瞬間臉部紅腫大發作一番。

職場裡總會出現一、兩位女人服裝穿得非常有風塵味，像是在酒廊上班一樣。（其實酒廊的女人打扮還比較清純。）但是這樣的女人特別受別單位的男人的歡迎，她們對男人常常也比較親切、愛嬌，但是對女同事往往沒有好臉色看，連關於工作上的溝通也都很不耐煩。如果去跟上司，或是男同事說，男人們都會說：「她絕對不會如此！」男人就是如此好騙。

有的女人的確工作能力強，也得到上司的信任，但是支配慾望也特強，連許多小事，像大家一起去午餐的地點，或是辦公室休息吃點心的時間，以及吃的零嘴種類等，都要規定，強迫其他女同事全部要聽她的。還有人在月初規定每個人要交兩百日圓的零嘴錢，又要求買她愛吃的薯片等，讓所有的人都覺得：「那麼愛吃的話，自己隨時都能買來吃。」因爲也有人很討厭薯片呢！

有的女人在員工餐廳或是公司的休憩室裡，有自己愛用的位置，完全不許別人侵犯，要是有不知情的女人坐到了，很可能放在位置上的東西會被撥落到地上去。

也有的職場，如花店等，也常全是女人，中午都是叫便當進來吃的，女店長最討厭手腳慢的人，所以有時叫麵進來吃時，故意讓她眼中釘的店員去送貨，等回來時，麵都已經糊得脹成兩倍了。

有時同期進公司的同事都前後離開，或是結婚退社，跟沒規矩的晚輩去吃午餐很煩，但是跟頤指氣使的前輩女同事去吃更煩。有的女人寧可自己一個人用餐，爲了怕撞見其他女同事，而故意搭一站地鐵到前一站去吃飯。有時發薪日的前日沒錢時，便只好一個人在誰也看不到的地方——廁所，坐在馬桶上啃麵包，十分悲壯呢！

女人多的職場除了百貨公司外，還有壽險公司，「生保（壽險）lady」在日本是一個非常特殊的世界。

拉保險的女性外務員間經常吵架，像：「不要臉，出手搶我的客戶！」等，不由分說便打一巴掌等。因爲見到讓同樣認識的客戶，將現在已經簽契約的保險解約，而另外加入自己勸誘的新保險。尤其現在競爭厲害，新的保險條件往往比較吃香，所以此類糾紛層出不窮。當然被打的一方也不甘示弱，而會回敬以花瓶等，有時還要出動救護車呢！大概沒有相當的耐力與體力，是無法在這個世界裡生存的。

一大群女人中，總是會出現喜歡包打聽，或是很會傳播八卦的人。最近許多男人在這方面的好事程度也不輸給女人。有時女人之間因爲派閥之爭，而故意流放對方的壞話。

對於毀謗其他女人最常見的是：「○○在那家粉味店賺外快！」或是：「她能在經理前那麼吃得開，是因爲從下半身開始對經理洗腦的！」或是故意放出毫無根據的辦公室戀情的謠言，如：「她早已經跟○○上床了。」等，或是關於別人的升遷或是結婚等喜事，會說：「這其中當然是有文章的……」或是「她是耍了陰溼手段才得到的。」等等，一方面顯示自己是公司裡的情報通，另一方面其實是中傷別人呢！

在男人看不到的地方，許多女人的鬥爭相當露骨呢！

全是女人的職場難挨（下）

有些公司的女性員工一進公司，便不得不決定自己歸屬的「御局」派閥，否則會遭從各種「事務」連絡網排擠，中餐或是晚上的聚會，也都不會有人來邀請，下場會非常悲慘。

日本NHK推出的「廊下的花子」，劇中在公司廊下出現的幽靈花子，會出來幫許多女同事主持正義，成爲公司裡女人寵愛的超級資深女人。

事實上，日本企業裡的資深女人，被稱爲「御局」，這原本是指江戶時代在後宮大院有自己房間的女官，她們常常自立派閥，統管其他女人。如果今天「御局」的心情不好，其他女人也跟著沒好日子過呢！當然劇中的花子也和許多「御局」一樣，會要求派閥下的女人進貢零食，還要指名是哪家名店的麻糬

呢！

有些公司的女性員工一進公司，便不得不決定自己歸屬的「御局」派閥，否則會遭從各種「事務」連絡網排擠，中餐或是晚上的聚會，也都不會有人來邀請，下場會非常悲慘。

不過，如果跟錯派閥也是很慘的，因爲要脫離不易，而且有時資深的「御局」大姊發怒，還會放出各種很傷人的謠言。然後像公司裡的慰安旅行，大抵固定住哪家旅館，有大量團體客去住的旅館，或是公司的招待所，常會傳說哪裡有無頭鬼等出現，要是在派閥中得罪「御局」的話，很可能便分配到那樣的房間去，所以連鬼魂、幽靈等也常被拿來當作欺負的道具。

可琢磨自己的眼光

有的女人想將自己的人生焦點擺在工作上，尤其是許多已婚女人，因爲覺得已經不會在職場尋偶，也剛好發現工作的樂趣以及訣竅，所以很努力衝業績，所以常常很惹其他女人的嫉妒。像是回到家裡，丈夫突然出示一張自己與營業主任親頰的照片，原來是有人故意把自己在營業主任送別會時，跟主任跳親頰舞（cheek dance）的照片寄到家裡來。誰寄的，大概猜也猜得出來，不過卻沒想到會有這種手法。

大抵讓上司寵愛的女人討人厭，已經是一個定理，所以業績好、討喜的女人，姿勢要很低才行，否則常常成爲被欺負的對象。有的女人只是因爲失戀或是離婚，所以上司比較親切關問幾聲就不行了。公司旅行的照片等，就只有她的照片被撕破，丟在整層樓大家都看得見的垃圾箱，而且是放在一週才收一次的資源垃圾箱的角落，眞是居心叵測！

女人多的職場，關於美容、瘦身的情報以及謠言特多。現在日本整型相當普遍，尤其是迷你整型的經驗許多女人都有，所以有漂亮的女人進公司來，大家都會仔細觀察是否整過，然後便會開始議論紛紛。當然有的女人已經不在乎，反而會將自己整型經驗公開，失敗或是成功談都能當大家的教材，贏得大家的尊敬。有的女人雖然整過，卻不動聲色，便很容易成爲謠傳材料，可能只是去美容沙龍美白，便會被晉級說成是「雷射去斑」，或許是去拔臼齒而創造小臉，很可能被說成是「削掉頰骨」等，像亞利沙便被傳過好幾次，不過她根本不在乎，說：「如果眞的是大家傳說中那麼神勇就好啦！」

有的單位常常有人會傳一些甜點，例如旅行社，常常有人帶回觀光景點的紀念品，所以每個人都吃得圓滾滾的，或是有人總愛買巧克力等來讓大家分享，所以想瘦也瘦不下來，拒吃的話會引起非議，所以還是算了，日本的職場，不像台灣可以自己宣稱：「我在減肥中！」便堂堂拒絕的，要全辦公室都在瘦身的氣氛才能開始瘦身呢！

當然如果有人不顧眾議而瘦身成功，然後又閃電交到帥哥時，大概會刺激所有的女人都來瘦身的，錯以爲自己找不到男友是因爲體重的問題，不過如果眞的發生「集體瘦身」行動時，瘦身成績好的人也顧人怨，因爲會傳出「愛子已經瘦了三公斤！」「直子每天著實瘦○．五公斤！」說的都是一些物理上不可能實現的數字，但是以此爲理由，大家中午出去吃飯時便故意不招呼，而說：「反正她在節食，才不像我們！」酸溜溜的。而且如果女人圈開始節食，因爲肚子餓，所以火氣格外大，很容易衝突呢！要等到大家覺悟只有節食沒有用，吃得心滿意足，才會恢復原來的和氣呢！

日本的電視劇裡常常有ＯＬ（上班仕女族）去學做料理，然後強迫同事吃，並徵收材料費的，雪子說：「眞的，我們公司裡就有。」公司裡的「御局」大姊說自己開始上新娘補校學做菜等，當然大家都覺得那是自我安慰，不過沒想到還會遭殃，因爲她學蛋糕時，便一下子做一大堆，拿到公司裡來「義賣」，徵收材料費，還表示水電費沒算呢！蛋糕倒也罷了，因爲難吃度有限。過一陣子開始學做懷石料理，就要大家都不要帶便當，吃她的「懷石便當」，日本菜難吃的對於日本人而言是懲罰，而且爲了節省材料費，松茸用香菇代替等，簡直是無法入口。此外，每天被當實驗品實在很煩厭，偶爾也想換換口味吃義大利菜，可是坐在她身旁的人都被套牢了，一到要吃午餐就很焦慮。原本大家一起吃午餐是當ＯＬ的一大樂趣，現在完全遭剝奪，而且還如陷地獄。

女人的鬥爭如果只是單純的女人的遊戲，那其實沒什麼，但是如果牽涉到男人，問題就相當複雜。像是有的女人結婚，其他的女同事在喜酒（披露宴）後的第二攤唱卡拉ＯＫ時，故意唱中島美雪的「惡女」或是「分手（別）歌」

來觸霉頭，讓人覺得美雪歌是被污辱了呢！原來是結婚的女人將大家的偶像搶走了。

還有有的職場裡沒有男人，偶爾出現幾個其實不成樣的男人，也會破壞大家的和平，像是有的女人根本在公司連打給自己的電話都懶得接的，但是看到有男人來，還遞紙條寫自己的手機號碼，或是有那位心儀的男人出現，便將外套脫下，露出硬擠的乳溝來。

現在工作忙碌，根本沒有時間去外面聯誼的女人也很多，像是面臨卅大關，或是卅五的新極限，大家都滿焦慮與饑渴的，太可怕了。所以許多女人說：「很羨慕有人當老師，安定又有時間去聯誼，才不會跟著去搶沒用的油頭蒼蠅！」

許多資深女人在新人進公司時，便會告誡她們：「職場裡如果有十個人，喜歡妳的人大概是三人，討厭妳的大概也是三人，其他四個人根本不在乎妳要想把事情做好，討厭的人的話也要聽。」大概是吧！女人是越遭打擊越堅強吧！有其他女人銳利的眼光，才有琢磨自己的可能吧！

自由打工人大增殖的時代

打工已經不是年輕人的專利，四十五歲到五十五歲的中年自由打工人，也急遽增加。這麼多的自由打工人有未來可言嗎？

又到接近發年終獎金的季節，但是與上班族社會的這些行事無緣的人越來越多了，也就是所謂的「自由打工人」（freeter）越來越多。

根據二〇〇三年版的日本國民生活白皮書，現在從15歲到34歲沒有上學，也沒有固定工作的所謂「自由打工人」，全國各地共有二六〇萬人，雖有想安分工作但沒工作的人達四一七萬人。四一七萬人是比紐西蘭一個國家總人口數都還多的數目呢！眞是可怕的數字，更恐怖的是，以前爲了兒子不肯就業而只打工、氣個半死的老爸，現在因爲遭裁員，也只好打起保全人員的工來了。

打工已經不是年輕人的專利，45歲到55歲的中年自由打工人也急遽增加。這麼多的自由打工人有未來可言嗎？

日本從一九七一至七四年，第二次嬰兒潮生下的世代，那時每年有兩百萬人誕生，所以就業時，競爭也特別厲害，被稱爲「就業冰河期」。大部分的人都無法依自己意志、理想來就業，而且一旦進入公司，也沒有將來成爲自己部下的世代再進公司。眼看著十年之內，一個課長、主任等小主管都不會出缺，幾乎沒有升官的可能，因此許多人雖然在父母壓力下趕快就業，但是做了幾個月便覺得很不適合，便辭職，再繼續求職，結果找不到自己適合的公司、工作，隨波逐流結果成爲「自由打工人」，因此現在大概卅歲以下的自由打工人最多。

年輕的自由打工人像是學生生活延長的狀態

年輕的自由打工人，大都像是學生生活延長的狀態，住在非常狹窄的小木樓裡，自己煮飯而節儉過日，不會覺得生活有什麼劇烈的變化。比較慘的是，沒有保險證，所以感冒了，只能自己多休息等自然痊癒。

因爲周遭這樣的人相當多，所以很意外地有安心感，不過自己打的工都是隨時可能被取代的。如果日本產業空洞化再繼續進行下去，不景氣沒有好轉的話，連打工都很競爭呢！

儘管據統計，大概有四百多萬的自由打工人，事實上可能有六百萬人以上呢！當然自由打工人，類型也很多，有「逐夢型」「過渡型」「迫不得已型」。有些人其實很會唸書，可是因爲父親遭裁員，所以無法繼續升學，但是也找不到工作，所以只好變成自由打工人。現在自由打工人已經可以寫在職業欄裡。但究竟算不算是一種職業，也是相當微妙的。

比較慘的是，想要工作而找不到適當工作的「迫不得已型」，其實人數不少。因爲人與事配錯對，所以許多年輕人往往很快便辭職不幹，在中高年人眼裡都會感嘆：「現在的年輕人就是這種德行。」不過，中高年人很少想到公司裡肥美的主管職位都讓自己佔住了，因此公司變成對於年輕人欠缺魅力的地方

呢！

不過，現在日本大部分的企業爲了降低自己的成本，大量裁員，盡量雇用非正式員工。那些一直在批判年輕人的歐吉桑，不少也遭裁員。因爲年齡問題，所以一百人之中，大概只有六人可以找到工作，其他的中高年人大抵裁員，便等於永久失業，所以眞正變成「迫不得已型」的自由打工人，這樣的中高年自由打工人也有一百萬人呢！

例如，半夜在舖路工程中疏導交通、監工或是超市店員等，越來愈越多中年打工人。

中高年人去打工，都覺得忿恨不平，因爲他們有工作經驗，知道跟自己做同樣工作的正式員工是拿多少錢，對於期間的差距相當驚愕。因爲相距好幾倍，而且日本的人事制度是一進公司時便分開。這人是正式員工，這人是打工的，在入社時，便分得一清二楚。不論非正式員工多拚命，也無法升爲正式，永不翻身呢！企業經營戰略是減少正式員工的傾向愈來愈強，自由打工人大概也會愈來愈大舉增殖吧！

Part Five

幸福方程式

人的幸福感以及滿足度，不是全部由收入來決定的。
懂得如何花錢在未來已經比懂得如何賺錢更為重要了。
幸福的問題在於選擇，每個人的幸福方程式是很不一樣的。

男女公約

日本年輕人現在大都是戀愛結婚的，但是要維持婚姻，雙方都還滿認真的約法三章，比起以前的日本男女更為現實多了，當然這些結婚條件有時還頗令人吃驚呢！

前一陣子，日本的眾議員選舉，是日本政治史上首次的「政權公約（manifesto）選舉」，也就是政黨的政策宣言。

這次民主黨靠著「manifesto」而告大躍進，因此manifesto已經成了日本的流行語，而原本僅存在於美國的名人、藝人之間的所謂「夫婦版的manifesto」，也都開始在日本一般男女以及年輕夫婦之間滲透呢！日本年輕人現在大都是戀愛結婚的，但是要維持婚姻，雙方都還滿認真的約法三章，比起以前的日本男女更爲現實多了，當然這些結婚條件有時還頗令人吃驚呢！

美國女星珍妮佛．羅珮絲對於未婚夫提出的條件，除了要溫柔之外，還有罰則，也就是怒吼一次罰一萬美元，這讓日本女人都很羡慕，每個人都巴不得丈夫多吼自己幾聲。

不過，日本女人對丈夫或是男友提的條件，有的也很令人難受。有位卅七歲的丈夫因爲曾經有過外遇，雖說是逢場作戲的程度，但是妻子爲了防止丈夫再犯，要求從晚上六點到十二點的時間，如果沒回家的話，必須每隔一小時給妻子打一次電話。這是因爲有次遭妻子逮到，妻子離家出走，到五星飯店住了兩晚，然後瘋狂購物，結果翌月送來的信用卡帳單是天文數字，小氣的丈夫便完全受不了，所以乖乖打電話。其實這是無效的規定，因爲丈夫照樣玩女人，只是一個小時會連絡一次而已。

因爲日本依傳統都是長男媳婦照顧公婆，許多妻子都表示：「照顧半天，結果公婆過世的話，自己一塊錢遺產也拿不到。」所以都與丈夫、公婆約法，先立下遺言讓自己能夠繼承公婆部分遺產，以爲照顧公婆條件。如果事前有遺言的話，也不用諸多親戚鬥爭呢！也有五、六十歲的妻子要求丈夫蓋章簽字，讓丈夫將屬於自己的厚生年金都直接匯到自己的帳戶內。因爲日本的規定，如果不通過一定的手續，都是直接匯到丈夫的帳戶內，所以妻子在丈夫退休前，便先要丈夫寫一份宣誓書！

男人和女人的要求大不同

當然不僅是女人對男人有要求，男人也有男人的要求。女人對男人的要求都是比較經濟性的，男人則是屬於生活面的，像是週末的主食一定給是米飯。

有位四十二歲的男人表示自己是秋田縣出身的，平時在家早餐，妻子都拿麵包敷衍了事，不過因爲是兩人都在工作，不能抱怨，可是因爲自己東北出身，覺得不想吃麵包，所以兩人約定一個折衷案，就是週末吃米飯與味噌湯，而且是從清早便吃一天麩羅飯呢！當然也有夫婦因爲買房子，所以丈夫的零用錢遭削減，結果中午只好吃「愛妻便當」，但是引進便當制度之後，連續兩天都是白飯加荷包蛋而已，不免發出悲鳴，然後發現兒子去補習的便當也一樣，兩人一起抗議這種慘狀，才約法以後便當裡至少要有三種菜。

也有丈夫要求妻子不准用自己的刮鬍刀去剃腋下的毛，雖然妻子有時忘記了還是去用，結果丈夫抓到了，當場要求訂下公約。女人其實都覺得男人的刮鬍刀，還是比女人專用的剃腋毛刀好用呢！

當然夫婦間最容易發生的問題是，如何對待自己與配偶的雙親。事實上，理想上雖爲平等、公平，但是實際上無法達到，所以便反過來約法爲：「對於雙方的父母，不要勉強追求公平。」因爲現在大家都住在妻子的娘家附近，幾乎每天都與岳父母見面，本身也是一種孝順，但是在鄉下的自己的雙親，則一年難得見一次，所以有時給父母零用錢時，自然會給鄉下雙親多些。還有父母的經濟狀況也不同，無法一概而論，所以決定「不需要公平」，但是也規定這些金錢往來，夫婦間一定要公開。

這類公約都還好，川本說：「我的妻子要求每週最少做愛兩次，體位每次三種以上，這種明知遵守不了的公約能訂嗎？」

幸福方程式

幸福的問題在於選擇。有的人收入雖然不高，但是幸福度很高；有的人收入很高，但是永遠處於欲求不滿的狀態。許多事不見得是絕對的，每個人的幸福方程式是很不一樣的。

日本社會經過十四年不景氣，最大的變化收入不斷兩極化。每個企業都只有一小撮人可以有高薪，然後其他人的薪水越來越低，社會的名利結構會與美國越來越類似。

不過，還好至少人的幸福感以及滿足度，不是全部由收入來決定的，所以掙錢困難，能夠下工夫的部分是在花錢的部分。許多經濟學家也都指出，未來的生活是節流更重要，但是這種節流不是單純的省錢，而是識破各種消費的效果後，高明地花用自己的「可處分所得」、自己的「自由的錢」。

假設自己有三萬日圓時，那到底要怎麼花用才能得到最高度的幸福呢？是到日本現在平價服裝代表的uniglo去買一大堆衣服，還是到著名的老舖去安安靜靜享受一頓高級精緻的料理呢？

這完全依個人的成長、修養等而有所不同。如果故意去充闊的話，反而會產生新的壓力與焦慮，金錢的價值非常多樣化，因爲大部分的人都不愁飽暖，對於生活必需品不是眞的那麼欠缺。

幸福的問題在於選擇

幸福的問題在於選擇。有的人收入雖然不高，但是幸福度很高；有的人收入很高，但是永遠處於欲求不滿的狀態，一天到晚想發洩在別人身上或是懷疑別人等，總是無法安身立命。

現在這種時代，已經不容易只是因爲有錢有勢，便得到絕對的優越感。董事長常去的高級餐廳，做夥計的稍微咬緊牙，偶爾也能帶家小去光顧。許多事不見得是絕對的，因此手上的錢如何花用，才是最大的學問。當然每個人的幸福方程式是很不一樣的。

日本最近的一本暢銷書是《年收三百萬日圓的時代》，也就是四十歲時，一定可以年收一千萬日圓的時代已經過去了，所以每個人都要學習如何去支配

自己有限的三百萬日圓，從中得到很高的樂趣。如果有這樣心理準備的人，便會過得比年收一千萬或是一億日圓的人，更爲安心而有餘裕。

因此，花錢的學問會越來越大，也是因爲經濟不景氣，所以價格破壞已經進行了若干時日，日本已經從不二價的時代，變成「一物多價」時代。

雖然有些地方城市的價格破壞還不是那麼嚴重，但是在東京，即使在銀座這樣的高級地區，往往走幾步，金錢的價值便有天壤之別。像是壽司店，我去過東京一家壽司店「久兵衛」，因爲天下第一美食家的魯山人品評過，夜裡的套餐從一萬日圓起，但是基本上加上15％的超高服務費，以及5％的消費稅等，還有對高額消費者扣繳的地方稅等，一個人總是要三萬日圓。

也有些女客人爲了嚐嚐名店的滋味而前往，其中霜降狀的本鮪魚，美味到讓人覺得不是這個世間有的食物，雖然切得還滿薄的，但是從口感知道自己的確是在吃生鮮的極品無誤。已經很久都不出來捏的主人今田洋輔如果遇到熟客，還會出來亮兩手，讓客人覺得值回票價。

不過從「久兵衛」走沒幾分鐘，現在銀座也出現還不錯的迴轉壽司，有時候，我也覺得這沒什麼不好，雖然茶是自己倒的，但是偶爾遇到店裡有生鮮材料進來，花很低的代價，也能有還不錯的壽司。當然不要去想那山葵是不是眞的磨出來的山葵等基本問題。這裡一次只要八百日圓，同樣三萬日圓，可以來這裡吃卅七次。

難以比較的幸福度

幸福度的比較是很困難的。西裝有的一套一萬多日圓，連當季的名牌領帶一條也買不到。到底要買便宜得要死的東西呢？還是買奢侈的東西呢？要以量取勝呢？還是注重質呢？究竟名牌的質與沒牌的東西的質相差多少呢？

領帶說不定花樣看得出來。那襪子是不是要買名牌，還是買一大堆換洗比較重要？究竟自己的講究是要及於全身呢？還是部分講究即可？當有三萬日圓時，有各種遲疑，有十萬日圓時也一樣。有的人去買了名牌皮包或是手錶，但是也有人用這錢去德國遊學。即使同住在一個屋簷下的夫妻、兄弟姊妹，每個人的幸福方程式也都不同。

有的人注重家裡的床與電視的品質，因爲是自己花費最多時間的地方；有的人不買車子、不設固定電話、不買冰箱，因爲沒有必要，家裡隔壁就有便利商店等，穿著也是平價衣物，但是省了錢，可能去高級溫泉料亭旅館狠狠享受一次，覺得自己的人生也有一些巔峰、高潮的樂趣。此外，因爲現在有這樣的收入，眼看著以後要賺這樣的錢很不容易，所以許多人便不會太過豪放地花用，而爲自己積存老後資金。

當然也有人因爲過於小氣，所以被妻子離婚掉的，也有人千省萬省，但是錢全部花到自己嗜好的音響或是電腦等。

總之，懂得如何花錢，在未來已經比懂得如何賺錢更爲重要了。覺得自己很窮或是很有錢，那感覺不見得與收入是一致的，最常見的是雖然有錢，但是花錢的樣子很窮酸呢！

男人止步的美容塑身沙龍

男人對於女人去上這種學校，或是去塑身，無法理解，認為女人要琢磨自己的，不是外在，而是內在，而琢磨內在，哪裡能靠別人。但是女人的想法比男人專業多了，認為這個時代什麼都應該委諸專家。

加盟西班牙皇家馬德里隊的貝克漢夫婦，到日本爲最大的美容塑身沙龍連鎖店「TBC」（東京美容中心）代言，賺了五億日圓。該公司許多員工私下抱怨，我們的薪水偏低，因爲錢都讓貝克漢賺走了，當然貝克漢也爲該公司吸引了不少男女客人，所以是吸血鬼的，同時也是搖錢樹。

男人的沙龍主要是以拔毛、瘦身爲主，而女人的塑身花樣可多了。現在是日本女人空前的「琢磨自己」的熱潮，每個女人都想要邂逅漂亮的自己，或是想成爲有魅力的女人，或是想改變自己，改善自己所在意的部位。這些地方都是男人止步，只有女人的天下。我自己也去探險體驗了數次。究竟內部眞相如何？

女人「琢磨自己」的熱潮

除了美容塑身沙龍外，女人琢磨自己的方法，最近相當有人氣的，是所謂「完成學校」（finishing school），也就是在學校琢磨自己，完成自己，老式的說法就是「新娘學校」。

不過，以前新娘學校是去學烹飪、裁縫以及禮儀作法等，但是現在則不是，而是學如何裝扮自己、雕塑自己，課程包括做頭髮、染髮、表情等外觀的部分，乃至禮儀、自我表現、溝通等，每家學校不同，收費大概一套是十萬日圓到卅五萬日圓。

原本這是爲了即將出嫁的女人所準備的課程，但是像惠子新婚後，在商社服務的先生忙，沒空陪她，所以她便去上課，萬一哪天丈夫派駐國外，自己在派駐的日本太太群之間，便變成是抬得出去的人。她去上的是著名的「ＩＣＢ國際學校」的化妝、配色以及蛋糕課等，其他也有人擔心自己走路姿勢不好，而去學走路，老師都是一些曾經有點名氣的模特兒或是日本小姐呢！

惠子學化妝，自己覺得非常實用，因為出門時完全不會煩惱而有自信。其他許多一起學的也都是ＯＬ，但是都不見得是為了結婚而準備，而是為了讓自己升段。

尤其是學化妝的人會非常興奮，因為當場便覺得自己完全變成「與至今為止完全不同的我」。看到改變的自己而興奮無比，突然湧出自信，然後所有的行動都為之改變。

有些女人，如惠子是已經結婚的，但是卻瞞著丈夫去上課，突然變得漂亮而臉上發出不同光彩來，丈夫十分不安，還以為妻子有了外遇。也有男人對於女人去上這種學校，或是去塑身，無法理解，認為女人要琢磨自己的，不是外在，而是內在，而琢磨內在，哪裡能靠別人。但是女人的想法比男人專業多了，認為這個時代什麼都應該委諸專家。

完成學校其實還比較是琢磨實力派，至少女人得到的都是拿不走的能力，自己有能力再生的，不過美容塑身沙龍的項目，則都是要靠不斷上門繳費才能持續下去。

現在日本的美容沙龍主要的項目，是拔毛、塑身以及做臉。拔毛雖然號稱是永久拔毛，但是即使已經連根除掉的毛，還是很容易長出來的。沙龍方面會先上一次毛的生物學的課，其實也就是解釋體毛也是春風吹又生的，日本永久拔毛都是用炙燒毛孔法，也就在毛孔用很細的針，讓電流通過發熱。

每一家拔毛收費不同，便宜的地方是一小時兩萬五千日圓，像TBC的話，每小時是三萬六千日圓起，如果用一種燒得更熱的新機器的話，每小時達四萬二千日圓，也就是每分鐘七百日圓，相當驚人。

我發現TBC比較貴的部分，便是代言人的費用都出在顧客身上。所以去年躺下來拔毛時，在牆上有木村拓哉的海報對我微笑，今年已經換成是貝克漢的海報。炙燒拔毛非常痛，沙龍的美容員在拔毛時只是稍微與客人聊一下天，然後便低頭孜孜不倦地拔，因爲價錢是以分鐘計算，如果聊太多的話，客人會抱怨的。

拔毛前，美容員會用很精密的拍立得相機拍下有濃毛的部位，拔毛後也會，這大概是擔心發生糾紛，認為沒拔幾根毛收那麼多的錢。拔完毛的部分，半年到一年便會長出來。

雖說是永久拔毛，但是美容員都會勸客人一個月最好來拔一次，這樣拔的不是死毛，而是新生嫩毛，比較不會痛。拔完毛後，用一種美容液冷敷。沙龍會推銷這種冷敷用品，也都是一、兩萬日圓。

錢在此地都好像少了一個零般不管用，十萬日圓很快便會飛走的。沙龍方面為了不要讓人有心疼的感覺，便要人買點數券，所有的項目都以券支付，券比現金值錢多了，像TBC是一點一百日圓，眞的是讓客人發生錯覺，忘記自己付多少錢。

每位美容員都是瘦瘦、美美的，但都是濃妝，我問了幾個人的出身，都是秋田等鄉下出來的。

我想這樣每天在三個榻榻米大的小房間裡，摸女人毛毛腿的工作並不愉快，而且還要向客人推銷各種產品，並取得客人下次的預約等，壓力很大，加上薪資都很低，所以流動性很高。去年爲我拔毛的幾位，今年都已經不知下落。

這種開設在各大電車車站前的美容沙龍，就是很都會的象徵，上門的客人都是相當年輕的OL，所以沙龍週末最擠，常常聽得見別的房間的動靜。女人是很精明的，也有女人抱怨：「做完沒差啊！」

我曾經禁不起推銷，在TBC做了一次臉，旁邊也有女人做塑身，就是瘦身。做臉、瘦身的人要全身脫光，換上沙龍的浴袍。瘦身的人還要先測量體重、脂肪質比率，以及腰圍、臀圍、腿圍、足圍等非常細部的數字，然後躺在床上，任由美容員擺佈，主要是各種按摩。

按摩身體非常誇張，被按的人也常驚叫不已，其實就是爲了燃燒各部位的脂肪，然後用熱敷或是全身繃帶捆綁法，並被放入熱墊中燒烤一番，以製造脫水狀態，所以才一個鐘頭，的確當下便減少了一、兩公斤，各種圍的數字也已有明顯改變，約減少一公分左右，算是有肉眼可見的數字變化。

至於做臉，最近受歡迎的是美白、除斑。不過沙龍不是外科醫院，所以只能利用非藥物的美容液等來漂白，讓斑紋等顏色變淺些。我去美白出來，效果不知如何，不過也覺得自己似乎臉上有光起來，也就是容光煥發，但是這樣的效果不知道是否能維持一、兩天呢！

約會大貶值

現在男人真的已經很少將女人列為最優先，不像以前的日本男人覺得「驕其妻妾」有很大樂趣。

泡沫經濟時代，約會可不是鬧著玩的。有的男孩打了幾個月的工，就是爲了約會時，有超級豪華的演出，不僅是週末夜要租到可以望海的甜心套房，還要租用外國轎車去接女人，三個月前就起早去訂那幾家電話永遠打不進去的名餐廳，然後花好幾萬日圓，買一把會正好因爲餐廳的暖氣而開放的玫瑰，正中的一朵花的苞中吐出第凡內（Tiffany）的銀飾等。

總之，泡沫時代要將女人騙上床不是那麼簡單的，必須花許多錢去製造浪漫的氣氛與故事，當然也留下不少男人大出血的傳奇。不過泡沫崩潰，連約會也大不如前，女人不但得不到什麼好待遇，倒貼也是司空見慣，但是總是希望男人偶爾也表示一下誠意吧！

現在卅幾歲的日本女人，在廿歲出頭的青春年華時，正當泡沫鼎盛期，所以每個人幾乎都享受過女王滋味。以前約會要花錢是很理所當然的，那是所謂「都會飯店」（city hotel）全盛時期，不是頂好的關係是沒有女人肯跟人去上賓館的，中年的不倫更是講究排場，所以渡邊淳一才會說不倫能提升景氣。

但是依現在的約會行情而言，即使不倫也相當遜色，因爲現在男人已經沒有多少交際費、加班費或浮報的出差費可以耍闊了。

因此，有些女人的經驗是與自己的上司鬧婚外情，剛開始第一次約會時，男人帶去一家非常酷的吧，一進門便問說：「有沒有那玩意兒？」原來是一杯數千日圓非常稀罕的麥芽酒，十分神氣，而且自然地令女人覺得這樣的男人會教自己許多事，會爲自己打開一扇明亮的大窗，讓自己眞正享受所謂屬於大人的樂趣，所以只有一晚便告淪陷了。但是沒想到僅此一次，那以後的約會都是廉價的啤酒屋，幾乎什麼菜也沒叫，還都是各自攤帳，利用最便宜的賓館，而且什麼禮物都等於沒有收到過。

許多女人原本對於不倫之戀，還妄想只有戀愛的美味，而沒有戀愛的痛苦，因爲情人本來就是別人的先生，所以反而不會患得患失，然後因爲要享受屬於非日常之樂，兩人總是會拚命醞釀氣氛，因此會去公司的人不會去的地方，總是要讓女人覺得跟坐在辦公桌旁的那批小毛頭約會有所不同，那才有價值。但是現在像生日、情人節等大日子，原本答應給自己一個小戒指的，沒想到卻以客戶送的迪士尼樂園入場券充數，或是出差回來時的紀念品是一支三百日圓的免削鉛筆等。

總之，這樣的不倫怎麼可能刺激景氣呢？當然已經有許多女人覺悟如此，覺得不要在金錢財物上占男人便宜的不倫，才是眞正的純愛。不過如果眞的與別人的丈夫每天都吃拉麵，或是下班後只是到自己的住處約會，女人的負擔實在是有點太大了，所以大概撐不了多久就會分手。

但是未婚的男人也好不到哪裡去，現在不僅是不容易交到收入好的男人，而且男人也已經不是那麼捨得用錢在女人身上了，所以女人得到的待遇越來越差。如果說男女平等，或許是如此吧！這幾年日本股票行情一直在創新低，其實約會行情也是一樣的，而且滑跌得比股票還要嚴重多了。

男人是眞的沒錢，有點錢也都花在自己的興趣等上面，分給約會的配額實在是少得有限。加上現在有許多女人不覺得第一次約會是很特別的，對男人要求的基準，不論精神、物質的，都比以前低多了，所以也不抱任何期待。

雖然現在世界名牌，如LV、Tiffany、愛馬仕等，都在日本開遠東最大的旗艦店，但是許多女人覺得要等男朋友買給自己，還不如讓自己的父母買，或是自己省點錢買，還要快一點，因此這些名牌店應該調查一下，到底是誰在買給誰呢！

當然也有男人覺得日本的女人不好款待，因爲有時候即使很費心去買點像樣的禮物，可是女人也不見得會滿意，總會與過去的體驗相比較。有的女人雖然並不明說，但是有時候會不經意提起以前的男友是有別墅的，或是曾經帶自己去夏威夷等。雖然會這樣與昔日風光比較的女人，本身年紀也都不小了，但是依然在物色能帶給她過去美好時代的男人，這大概是越來越自不量力了。有的女人覺得自己曾爲滄海難爲水，不願屈就不肯爲自己花錢的男人，結果等於是孤芳自賞。

「驕其妻妾」不再是男人的樂趣

現在男人眞的已經很少將女人列爲最優先，不像以前的日本男人覺得「驕其妻妾」有很大樂趣，像送給女人好東西、博得女人嫣然一笑，會覺得是很高的價值。現在，男人花多少錢去買電腦等東西都無所謂，但是約會或是給女友的禮物卻很省呢！

有的女人雖然男友不是不會賺錢，但是約會都在百貨公司的地下食品層，買成菜回家吃，沒有去過百貨公司地上的樓層。許多男人都很精，不會帶女人去煽動物質慾望的地方，擔心被女人吵著要買東買西。送給女人非名牌東西的理由是：「反正妳穿戴什麼都漂亮，根本不需要名牌服飾。」每次都是排隊在吃拉麵或是迴轉壽司，理由是：「肚子餓了，東西格外好吃。」理由很動人呢！讓許多女人也只好忍耐。

女人覺得在沒和男人約會時，想狠狠去花大筆鈔票，去大購物一場，或是去豪華餐廳大吃一頓，好趕走那種一直空肚子的惡夢，或是沒被塡滿的購物慾望呢！女人對於男人送給自己的禮物，或是帶自己去吃的超便宜餐飯，都深深銘記在心。

那種怨恨似乎要消散不易，所以有許多男人覺得如果對女人小氣，一定不要將小氣的對象娶回家，否則會被唸一輩子的。要是男人眞的在自己生日時，只送四百日圓的手機吊飾、三百日圓的羊羹或是兩百日圓襪子的話，大概任何女人不必動用記憶力，也都會記住的！眞的是不如不送呢！

雖然說愛情不能以麵包換算，但是女人眞的遇到眞的很窮的男人，也只好勒緊腰帶了。

不分手的理由（上）

婚姻生活常常過了不久，便很容易喪失緊張感，一直到出現必須想的理由，必須分手的理由時，才會發現要找非要在一起的理由還滿困難的。

日本每年有接近三十萬對夫婦離婚，也就是每二點五對就有一對離婚，離婚已經變成很普通的選擇，不過正如日本首相小泉純一郎說的：「離婚要花上結婚的十倍的力氣。」他因爲不想再離婚所以不結婚。

不過，也有許多夫婦因爲各式各樣的理由，所以沒有分手。日本演歌歌手橋幸夫與妻子橋凡子，在結婚卅週年時，寫了一本書《沒分手的理由》，吐露表面看起來如鴛鴦般的二人，其實是經過許多的葛藤與掙扎才沒分手的，像是幾次都因爲橋幸夫外面有女人，而出現離婚危機，結果因爲橋幸夫下跪以及拚命溝通，才迴避此一危機。

不過，每個至今還維持下來的婚姻，大概都有一些故事可說，夫婦關係過了一段時間，或許逐漸像是空氣的存在，是冤家，所以要分手眞的不是那麼簡單呢！

在一九九四年的國際家族年時，聯合國的宣言中，便已經明記了「政府不應該追求理想的家族」，也就是什麼形態的家族、家庭都是可能的，不見得是以父親爲中心的家庭，或是三代同堂的大家庭，才是家庭。

即使是女人其實也一樣，如果有太爲僵硬的理想的話，拚命朝理想進行，現實往往會反向逆行；現實上離婚率不斷提高，而不倫的比率相當高，二十歲至卅九歲的ＯＬ半數都有不倫經驗，不倫一般化，未婚生子也已經是日本女人的選擇之一，因此家庭、家族眞的是什麼都有呢！所以夫婦要不要分手，也是選擇之一而已。

當婚姻出現危機時，才會認眞面對

婚姻生活常常過了不久，便很容易喪失緊張感，日子不用想就流過去，一直到出現必須想的理由，必須分手的理由時，才會發現要找非要在一起的理由還滿困難的，頂多是「沒法生活」，或是「小孩很可憐」，以及「稍微忍耐還能過得下去」。

離婚是一種讓婚姻狀態明顯化的選擇，也就是在衡量經濟、社會、物理、精神等的價値觀之後，確定「跟這個人在一起，不會有像樣的人生」，所以離婚的損失雖然很大，其實也是一項積極的選擇。

日本有許多律師以及專家均各有一張表格，也就是像是「沒有日常會話」「沒有性生活」「沒有提供生活費」「有三百萬日圓以上的高利貸」「分居三個月以上」，以及「無法商量」等，如果其中有個四、五項，大概就會勸當事人離婚，如果只有一半，或是程度不嚴重，則會勸導「迴避離婚」。但是要眞正想要迴避離婚，也需要相當認眞才行，因此婚姻是到了出現危機時，才會認眞面對的。

不過有時候，即使夫婦關係已經相當薄弱，但是因爲沒有重大的經濟問題等，所以精神上並沒有眞正被逼到死角。有的女人雖然將事情想得很嚴重，例如丈夫的戀母情結很難忍受，或是丈夫對於自己的嗜好投入的金額相當驚人，作爲家人在一起生活相當令人厭煩，不過其實都沒有眞正發生什麼障礙，也就是並沒有「絕望」，只是覺得沒有意思，但是找不到非要離婚不可的「決定性的一擊」，所以自己至今還沒有離婚。

許多女人希望借用他人的力量來離婚，也就是如果是丈夫提出來要離婚的話，那就會接受，但是自己不想主動提出，自己不想去承擔離婚的歷史重責。不過那也表示，女人其實精神上，並未眞的到了走投無路的程度。

也有女人將「尙未離婚」的這段期間，當作是扶養孩子的過渡期，因爲其實男人從外面來看沒有什麼問題，雖然有點浪費癖，結婚十幾年可能都不知道丈夫眞正的收入是多少，尤其是一些兩人都工作的家庭，夫婦生活費各自負擔的案例也不少。丈夫有時心情不錯，也會幫忙做家事，也算是疼孩子，所以女人也摸不清楚自己是否眞的想離婚，但是總覺得有個模糊的離婚目標存在。或許是女人結了婚，但是總是還想當女人，可是丈夫、孩子都將自己當作母親來看，女人沒有作爲女人的實感，因此總覺得有什麼不滿快要爆發。

當然許多女人也考慮到離婚的話，生活水準降低，小孩會覺得悲哀，因爲離婚與否自己雖然可以決定，但是連孩子的人生也要決定，便會下不了手。要承受這些問題而且當壞人，大部分的日本女人不願意，所以許多女人「想通了」，在養兒育女告一段落時，有錢有閒，便自己去旅行排遣。

「不想當壞人」是一個很奇妙的想法，許多與已婚男人談戀愛的女人，都說：「我當然也有想當他的妻子的願望，可是沒有想當破壞他的家庭的壞人，我也想要有自己的幸福，雖說如此，與他分手也不願意。」女人還是很擔心社會的看法。

不是只有女人會想離婚，也有許多男人想要離婚，像有的男人在結婚後才發現妻子好吃懶做，或是宗教迷信到自己難以相信的程度，每天出門前都要看風水，像是明明有生意要談，硬是不讓他往北走等，或是家裡連菜單都要依占卜來決定等等。

也有的男人自己千省萬省，但是妻子拿錢去學舞，那還沒關係，學舞時付了昂貴的指名費，來給年輕英俊的舞蹈老師，在男人看來，那完全是變相的牛郎俱樂部。或是結婚才沒多久，就覺得自己一點也不想跟身邊這個女人說什麼了，因爲說什麼她都聽不懂，她也從來不看新聞，電視只看綜藝節目以及連續劇，與社會的隔閡大得驚人。也有男人覺得自己的妻子從結婚後每年胖五公斤，連跟她走在一起，別人都會回頭看的程度。

男人說起對妻子的不滿，也是一大堆，其中最累的，還是精神上無法與妻子溝通，或是妻子精神上特別脆弱等；比起來，男人的性愛以及身爲男人的證明，是很容易確認的。

不分手的理由（下）

像岩崎一樣，因為孩子而沒有分手的男女非常多，而且像岩崎夫婦一樣，即使彼此沒有很大的愛情，但是靠著性愛連繫的夫婦也有呢！

夫妻很奇怪，分手大概要找許多理由，但是比較起來，不分手的理由就比較曖昧多了。尤其是長年在一起生活的夫妻，其實有許多默契存在，不用說或是用許多簡化的語言都能了解，兩人像只剩下微溫而互相取暖的枯炭，因此要分手，也有一些藕斷絲連的牽絆關係，所以也不是那麼容易的事。

許多夫婦結婚一段時間後，狀況發生改變。丈夫覺得自己面臨卅歲的人生大關，沒有好好跟妻子商量就換了工作，因爲是自己喜愛的工作，但是收入以及社會地位都不如先前的工作，讓妻子覺得各方受挫，覺得丈夫最重要的事都不跟自己商量，兩人開始生隔閡，但是這也還無法構成分手的理由。

如果婚後生活條件比結婚時候好，往往比較沒有問題，但是如果男人條件改變的話，有的女人便開始懷疑男人對家庭的責任感。事實上，丈夫並沒有其他更大的問題。最近日本有許多男人因爲在公司遭裁員，所以也遭妻子離婚，也就是所謂「裁員離婚」，可見要能共患難的夫妻還不容易呢！

如果不是遭裁員，而是遭減薪呢？許多女人都覺得，如果是因爲不景氣時代跟大家一起減薪的話，那也還好。但是如果男人自己亂換工作，造成減薪，則會變成家庭裡的疙瘩，這種疙瘩的數量如果累積到一個數字的話，就可能分手。如果數量還不足的話，就還能忍受，所以有時丈夫或是妻子，都不知道究竟哪一根才是拖垮駱駝的一根稻草。

「歸宅恐怖症候群」

其實結婚對象的性格是否屬於開朗型，對於婚姻生活影響很大。像岩崎在婚後才發現自己妻子有受害妄想，首先覺得是同一公寓裡的其他主婦，在說自己的壞話，後來開始懷疑岩崎在外面有女人，也懷疑婆婆挑撥離間，而且經常陷入憂鬱狀態。家裡常常積了如山的碗筷以及衣服都沒人洗，雖然也去看醫生，醫生或是所有的醫學書，都告訴家人必須要包容接受憂鬱病患者。

岩崎也很努力，甚至想起以前妻子在剛生完孩子時，精神狀態滿不錯的，所以又努力讓妻子生了第二個孩子，希望製造好轉的契機，結果事與願違。因爲次女要生前，大女兒開始也有點不聽話，所以妻子反而越來越神經質，雖然岩崎努力接受妻子是病人的事實，但是有時候還是會完全承受不了，所以便離家出走。

岩崎離家出走的紀錄已經有五次了，妻子一個人更是無法撐持家庭，所以會打電話到岩崎父母家去訴苦，哭訴孩子也因此不去上學，岩崎結果也是心軟，而且爲了孩子還是回來了。

岩崎終於知道他已經無法與妻子分手了，所以離家出走算是自己一個吐氣的方法。此外，現在自己也沒有錢與精力來搞婚外情，頂多去上上風化店。做愛是很好發洩的方法，包括與妻子做愛。

像岩崎一樣，因爲孩子而沒有分手的男女非常多，而且像岩崎夫婦一樣，即使彼此沒有很大的愛情，但是靠著性愛連繫的夫婦也有呢！

靠性愛連繫的夫婦

和子便是如此，她跟我見面時，幾乎都在罵丈夫有多差勁，尤其是丈夫多沒文化氣息，或是有些很暴發戶的行爲，胡亂揮霍。最令她難以忍受的是，冬天在家裡只穿T恤一件，大開暖氣等，讓文學少女出身而且環保觀念濃厚的和子，覺得與丈夫在一起，幾乎一刻也難以忍受。

問她爲何不分手，她說：「我們在床上很合得來，這是唯一可取之處。」所以每對冤家難唸的經都有點不同呢！

像岩崎其實已經覺得自己的妻子，完全沒有女人的魅力，甚至覺得煩厭，但是做愛沒有問題，而且妻子也是，雖然一天到晚抱怨岩崎，但是在性愛方面也相當積極呢！所以有時連岩崎都不免要懷疑她的憂鬱症，是眞是假。不過他已經不想多想她的事，兩人還沒分手，除了孩子外，有一部分是因為性愛的連繫呢！

當然許多沒有分手的男女，也都常常幻想一種理想的狀況，就是對方自己離開，甚至是因為外遇而要求分手也可以，總之由自己嘴巴是說不出來的。

或是對方找到很不錯的男人或是女人，將孩子一起帶走是最好的。岩崎因為已經被訓練得很會帶孩子了，所以基本上希望妻子是自己一個人離開。不過川上則常說：「老婆跑了沒關係，最好不要把孩子丟下來。」

每個人的情形不同，不過「為了孩子」還是一個很根本的關鍵，大人總是有保護孩子的責任。像岩崎便說：「因為成天都在想像如何才能圓滿分手，所以便想通了，婚姻其實原本就是為了孩子而存在的玩意呢！不想要孩子的人，根本不需要結婚呢！」說來還滿讓對結婚仍有相當憧憬的人心冷呢！

許多看起來沒有分手的婚姻，或許期間也經歷過「小分手」。像光永因為工作忙碌，所以回家時間晚，夫妻間的對話幾乎等於零。開始時，妻子還會不斷希望光永多花點時間陪孩子玩等，最後妻子也死心了，結果自暴自棄，變成酒精中毒狀態，家裡一片髒亂，一旦回家，孩子也都站在媽媽那邊，認爲自己是造成這種荒廢家庭的罪人，所以越來越不想回家，成爲有家歸不得的狀態。

即使不到這種程度，日本也有許多丈夫因爲家裡已經成了妻兒的城堡，所以都得了類似的「歸宅恐怖症候群」呢！

光永有一陣子因此而開始有了婚外情，不過因爲對象是已婚女人，如果不是如此，他大概就已經離婚了，因爲他眞的覺得不倫對象的女人，才是自己理想的女人。

但是結果他還是回家了，有兩個原因：一個是因爲他離家的兩年間，妻子借了上千萬日圓的信用卡高利貸款，他可以體會這是妻子經濟上的需要以及對自己的報復；另一方面他自己在工作上，也開始有些不順利，他才全面重新反省自己工作中毒，以及忽視家庭的人生，所以便回家去了。他自嘲：「或許，男人反而有『歸巢本能』吧！女人一旦分手，便會義無反顧呢！」

女人的「想離婚症候群」，以及男人的「拒絕離婚症候群」

許多離婚表面上是「協議離婚」，但是事實上根本沒有經過什麼協商，都是妻子片面決定的。丈夫根本完全無法理解為何妻子突然有一股著魔般的威力，直逼丈夫要離婚呢！

日本現在出現最多的是女人的「想離婚症候群」，以及男人的「拒絕離婚症候群」。咦？這麼多症候群，尤其是在卅出頭到四十二歲的女人，是離婚的巔峰期。即使現在沒有離婚的女人，在卅五歲左右是最想離婚，幾乎都是離婚預備君，正悄悄準備發動離婚革命。而對於男人而言，這大多是青天霹靂的，是日文說的「寢耳浸水」的事，不免要大舉抵抗一番。

日本離婚率不斷提高已經不是新聞。據日本厚生勞動省最新人口動態統計，在二〇〇二年結婚的人，較二〇〇一年減少四萬五千對，只有七十五萬五千對。相對於此，離婚男女較二〇〇一年多了六千對，達廿九萬二千對，離婚的人越來越多，其他並未採取法律程序的「家庭內離婚」，或是「分居」的男女非常多。

許多四十歲左右的男人看了這樣的統計數字，大概都覺得有莫名的安心感，心想：「還好不是只有我們家是這個德行！原來日本出現破局的家庭比比皆是！」

提出離婚的，最多是過了卅五歲到四十歲出頭的女人，以卅六歲最多，而且大部分的離婚都是妻子自己一個人計畫、一個人主導完成的。雖然許多離婚表面上是「協議離婚」，但是事實上根本沒有經過什麼協商，都是妻子片面決定的。丈夫根本完全無法理解爲何妻子突然有一股著魔般的威力，直逼丈夫要離婚呢！妻子在想些什麼，完全超乎丈夫的想像力。爲何如此急於想離婚呢？對於丈夫而言，這完全是一種沒有謎底的益智遊戲。

歷經「大學女生熱潮」的女人

為何卅五到四十出頭的女人會如此呢？這是因為日本過去曾經流行過「大學女生熱潮」，也就是大學女生被視為天之驕女，得到社會寵愛，成為關注焦點，這些女人現在正好四十二歲。然後小幾歲的女人，又正好接上「高中女生熱潮」，都是被男人捧上天的，她們正當青春年華時，也正好是日本泡沫經濟方興未艾的時代，男人拚死命也要提供她們五星級的待遇。

她們自視甚高，到哪裡都像公主般讓男人伺候。因為年輕時萬事如意，全部依自己的任性，不需要任何努力便得到奉承，而且當時因為滿地黃金，所以生活奢華，企業求人甚殷，所以不愁沒有工作。這些女人從沒有覺得生為女人有何不妥，反而覺得占盡便宜，天生便讓男人獻殷懃。

但是一旦真的結了婚，便發現不是這麼回事，不如自己意，便想離婚，而且意志堅定，決定了便不容打折扣。

這些男人離婚後，才發現妻子一點也沒想要配合自己過，回想起來，都是自己片面在配合妻子。有的男人因爲工作繁忙，所以妻子與孩子便常常回娘家，然後自己再去接妻兒回來。原本妻子在婚後，也幾乎不開伙，而在娘家用餐，男人覺得自己沒法陪妻兒，這樣也好。等到覺得已經存了點錢，想在自己父母家附近買棟房子時，妻子突然便說要離婚，而且眞的要離婚，對於妻子而言，與娘家距離拉遠而與夫家親近，根本是無從想像的事，所以只有離婚一途。還有丈夫工作繁忙，妻子二話不說便回鄉下娘家，然後要丈夫將生活費匯過去就好。對於妻子而言，丈夫覺得自己不過是匯款機而已，然後拿到一筆數目的錢便離婚了。

男人的感想是，跟這些當年爲天之驕女的女人結婚，下場都很慘。如果自己的事業順利的話還好，如果不順利的話，或是卅五歲左右的男人，一旦健康上出現問題，像有時因工作壓力而陷入憂鬱症、自律神經失調症時，妻子便會很快不耐煩起來，而且還被說是不中用的傢伙，或是罵丈夫是貼身熱沙包般的男人，也就只有三分鐘熱度，熱得快也冷得快。其實男人覺得這一個年齡層的女人才是，不能輕易招惹。

男人所以拒絕離婚，主要是因爲腦子完全轉不過來，因爲自己並沒有任何缺失，不是不給生活費、不是有外遇，不賭不酗酒、不是沒有性能力、不會對太太施加暴力等，從哪方面來看都算是顧家的好男人，所以完全想不通有什麼足以淪爲不得不離婚的理由。

趕上「高中女生熱潮」的女人

卅五歲左右，高中時趕上「高中女生熱潮」的女人，在離婚後都會回娘家。她們的父母現在正好六十歲左右，是日本經濟高成長期從頭賺到尾的那一代，所以有相當的經濟實力，家裡房子也夠大，因此很歡迎女人回來，尤其歡迎女人帶外孫回來，最好沒有女婿還比較自在呢！甚至許多父親盲目地袒護、寵愛自己的女兒，積極鼓勵女兒離婚，打包票要代女婿來養女兒，讓女兒更是有恃無恐。所以這也是拒絕離婚的丈夫最後只好答應的原因，連岳父大人都親自出面來談判，還有什麼可說的。

比起來，「大學女生熱潮」下的女人，雖然也是很容易主張自己的人生，但是比較不會那麼唐突，會慢慢訂下自己的離婚十年計畫，或是等孩子成長到一段落，或是自己再就業有下文、經濟能獨立自主的時候，也就是自己的人生很重要，但是自己會負責。可是卅五歲左右的女人則管不了這麼多。

同樣是卅五歲到四十出頭的日本這一代男人，與女人便有很大的不同，這個年齡層的男人年輕時便對個性較強，或是較爲任性的女人，都有讓步的習慣，都還滿老實的，所以一旦結婚，便全都聽妻子的，甚至當初兩人結婚，也都是妻子自己硬要的。

那一代的女人有許多人大概還記得自己沒告白的男人，都被比較大膽的女人搶走了，戀愛、結婚的主導權都在女人手中，不是女人發出訊號說：「你可以求婚了。」男人不敢前進一步的，拚命討好女人，承諾女人這、那的，像是有的女人說：「我不會做家事。」男人說：「那都我做好了。」可是日本男人總還是日本男人，婚後多少還是會希望妻子稍微配合自己的環境，像自己忙時，至少希望妻子能伺候自己，如果對於全以自己爲主的妻子有點怨言，妻子會認爲，簡直是自己養的狗突然變成暴君般，無法接受與相信。

相對於男人，女人也覺得自己是受害者。女人覺得丈夫不像婚前般體貼，回家也都在搞電腦，說話愛理不理的，或是覺得丈夫都只聽婆婆的話，或是抱怨自己丈夫雖然是「三高」，但是骨子裡完全是老舊的日本大男人，或是完全不參與孩子的教育問題等。

遭妻子要求離婚的男人，覺得自己當年奉承女人、讓女人享受奢華，那也是覺得是男人該做的事，然後現在即使想像當年一樣耍闊，已經時不我與，已經做不到了，而且一點也不想做，所以才會惹妻子們光火的。這個年齡層的男人其實都不會想那麼多，也不會留意妻子心境的變化與需要，對妻子甚至自己也都沒想那麼多，等到離婚申請書擺在餐桌上，才發現結婚不是目標，而是開始，已經來不及了。

金錢觀大崩潰（上）

總之，現在跟別人一樣花錢是很沒意思的。每個人都要有點自己的花樣，即使當冤大頭也無所謂。

雖說日本現在很不景氣，有的年輕人立志以一萬日圓過一個月，凸顯日本現在年輕一代已經得不到許多資源，而進入空前貧窮的時代。但是另一方面，也出現一些怪異的花大錢方法，像是一天花上廿萬日圓，去打沖繩式吃角子老虎（patisuro）等，一擲千金。

這並非一些暴發戶的做法，而是許多年輕上班族或是ＯＬ，也都這麼做。至於小學生，經濟觀更是已經崩盤得一塌糊塗。許多小女孩對於一萬日圓，覺得「買件衣服就沒了」。總之，現在跟別人一樣花錢是很沒意思的。每個人都要有點自己的花樣，即使當冤大頭也無所謂。日本傳統的共同「金錢觀」已經大崩潰了。

這幾年，日本的經濟跌入深淵，通貨緊縮加上消費不景氣，然後薪水也跟著縮水，但是眞的有人針對某一點大舉揮霍，這些人其實也沒有什麼存款。

苦日子中，總要有點優雅

究竟是爲什麼而浪費呢？許多年輕人的作爲已經不是一般常情所能理解了。他們覺得自己的苦日子之中，總是需要有點「優雅」的感覺。

現在這種時代，有的人去打打小鋼珠，想靠自己的絕技賺點外快，應該是人之常情。不過現實上，像是打小鋼珠或是日式吃角子老虎等遊興人口，都在減少中。這是因爲大家阮囊羞澀，打不起的人越來越多。

不過，也有人故意反時代潮流而行，有一種人專玩沖繩式吃角子老虎（簡稱沖suro），這些人一天輸掉廿萬日圓也不痛不癢，反而是很日常的事，完全脫離浮世的感覺。

這些沖suro愛好者認爲這種吃角子老虎，排除了技術的干預，用聲音與光線來告知會有紅利出現等，非常簡潔，因此讓他們對於能在基板上動手腳的高速連發連中的一般日式吃角子老虎機，敬而遠之，而成爲此種沖suro的俘虜。

玩家的經濟觀在這種世界裡，大抵已經痲痺了，因爲勝負數字非常大，而且與技術無關，大抵在賭運氣，所以傳說特多，加上用「piyui」這種聲音來告知中了，十分刺激。許多人即使在工作，滿腦子也都是piyui聲音，還用蝴蝶拍翅閃光，也是讓愛好者覺得自己已經有升天的幸福感，這是千金難買的。所以一旦迷上了，都會忘記金錢原本的價值。許多人說：「鈔票對我們而言，不過是換銅板的道具而已。」與現實世界越來越乖離。

最近日本首都圈的中古公寓的銷售件數相當不錯，主要都是房子很舊的小公寓受歡迎，原因是許多上班族因爲零利率時代，存款乾脆都拿去做房地小投資，雖然以他們的收入付不起貸款，但是有的人認爲比房租便宜，或是轉租給他人，而靠房租收入來支付貸款。有的人還沒開始行動，還沒找到房客，便幻想自己有房租收入，而開始大花錢，這是一種近乎幻想的如意算盤。

事實上，比起得到房租收入，房產的下跌並未結束，加上老舊公寓的共同修繕基金非常昂貴，也有放兩、三年都找不到房客的風險，所以年輕人的投資泡沫很快破滅了。

日本總務省在二〇〇一年調查統計發現，未滿卅四歲的女人，平均每個月花用十七萬九千餘日圓，其中理容諸雜費為一萬餘日圓。事實上，日本女人這幾年對於美容的投資大為增加，像是每個月用在美指沙龍兩萬日圓，用在塑身沙龍三萬日圓。

許多高級的美容沙龍，其實都是收入平平的ＯＬ去享用，而不是什麼富家千金。大抵是廿五歲到卅歲的女人，很肯花錢在自己的身體上。最受歡迎的是做臉以及塑身，每個月花兩、三萬日圓的女人最多，不過這種慾望會不斷升級，像是高級的美容沙龍每個月去個兩、三次，便是十萬日圓。

許多ＯＬ的收入如果付掉房租的話，便只有十萬日圓，也就是勒緊腰帶也要去，或是有許多人為了上美容沙龍，便還寄身娘家，忍受父母催婚的聒噪。

與高級美容沙龍流行的同時，高級化妝品也都大暢銷，像有一種只有五百ml的delamer的護膚用品，要賣十五萬日圓，但是許多女人卻在排隊搶購。

關於化妝品，「貴的才安心」的迷信是存在的，所以許多女人一餐不過花費兩百日圓，但是每年用一百萬日圓在美容上。除了上美容沙龍之外，還有買化妝品，因爲美容沙龍如果不是持續去的話，就沒有效果，所以一個月還要花三萬日圓在化妝品上。

女人爲了美麗與安心，早已經超出傳統經濟觀的預算了。

因爲不景氣，所以風化店的客人也多少精打細算起來了，因此也有一些過剩的競爭。不過爲了與其他風化店區隔化，所以也出現超高級的「兩小時十萬日圓」的出差風化業，而且只是幫客人射精，並沒有眞槍實彈的「本番」。

現在許多沒生意的風化店，甚至以無限接近本番來引誘客人，也只要一萬日圓。究竟爲何有人爲了不能眞做的女人，付出十萬日圓呢？首先上門的女人都有一定程度的美貌，而且強調是精神的服務，甚於肉體的服務，因此許多男人覺得滿足度很高。

許多這種風化店的經營者都表示：「因爲不景氣，所以許多原本爲模特兒或是活動用俏女郎，都沒法靠本行吃飯，紛紛下海，她們的氣質、身材等也都不同，所以很受歡迎。」最近還有增加可以與女人在外約會的「十二小時五十萬日圓」的新選擇，風化業顯然也有品牌的問題呢！當然許多男人也覺得自己玩「十萬日圓級」或是「廿萬日圓級」的女人，比一、兩萬日圓級更爲光彩，可以向人炫耀一番。

金錢觀大崩潰（下）

大家的金錢感覺如此紊亂的原因，是對於景氣的不安、前瞻不透明所致，因此大家對於商品以及服務的共通行情的感覺發生動搖。

儘管不景氣，但是人們在有些地方花錢根本完全不眨眼的，尤其是在自己小孩或是寵物身上。

少子高齡化，所以一個小孩有父母、祖父母以及外祖父母六個口袋的錢可以花，因此關於幼兒的各種補習收費越昂貴的越流行，像上小學前小孩的一年「教育費」，可以多到一百萬日圓以上，二、三歲孩子的補習費比父親的零用錢（加上午餐費、菸錢以及應酬費等）多很多。

典子的孩子現在才三歲，這孩子從一歲起，便開始上英語會話教室以及游泳班。因爲典子堅持要去上有名的幼兒教室，所以英語教室一個月要花兩萬日圓，連教材則不止；游泳班要一萬五千日圓，然後去上國際學校（像是美國學校）的先修班，一個月要五萬六千日圓，一共九萬多日圓。

典子的丈夫現在年收七百萬日圓，在現在不景氣的時代，算是高收入者，也許因爲如此，所以更加覺得應該花錢在小孩身上，以便讓小孩在將來收入兩極化時代也都維持自己的優勢。事實上，典子似乎也沒想這麼多，因爲周邊的人都從這麼小就開始進行「英才教育」，因此不能讓自己的孩子落後。

日常的經濟觀念已消失

如果是要補考高中或是考大學，一個月花個十萬日圓還能理解，三歲小孩就如此，其實就是周邊環境的影響，加上電視不斷報導，所以要花十萬日圓的事已經變成常識。如果丈夫沒法供小孩一個月十萬日圓去補習的話，還會遭妻子抱怨。但是在年收入三百萬日圓的時代，如果有兩個孩子的話，那豈不是都不要吃穿啦！

其實不僅是孩子，許多女人每年都花費一百萬日圓在寵物身上。有人自己穿的，都是跳蚤市場上一百日圓的舊衣，卻肯給自己的狗或是貓訂做一件八十萬日圓的禮服，還有吉娃娃的大衣也要二、三十萬日圓。

人都沒錢去應酬了，不知道他們寵物的社交圈在哪裡呢！寵物吃的都是有機無農藥、無添加健康食品，但是自己為了省下寵物的零食錢，都是吃對身體最不好的速食。還有人每個月花十萬日圓讓自己的狗去住溫泉醫院療養，隨著寵物高齡化以及室內化帶來的慢性病、憂慮病等，主人的花費越來越大，但是對於主人而言，這是他們重要的寄託，什麼錢都願意出。

雖說不景氣，但是寵物店生意都非常好。養寵物狗，以前都養雜種狗，但是現在則都是純種狗，要有血統保證書才賣得出去，所以像吉娃娃漲價，漲到一隻五、六十萬日圓。有的女人剛開始只是很寂寞而養狗，但是後來越養越多隻，狗的飲食、美容院費、醫藥費等，幾乎將自己的薪水都花光了，而開始動用自己為了儲備結婚基金的存款。

其他還有普通的女孩，也肯花盡自己的存款或是借錢去牛郎俱樂部玩，結果自己也只好去賣身。那也是一旦進入那樣的世界，牛郎甜言蜜語，加上可以記帳，會突然覺得好像並沒有花錢，日常的經濟觀念完全消失無形。

比起年輕的女人而言，許多小孩子的經濟觀念更可怕。現在卅幾歲一代的日本人，小時候的零用錢都是一千日圓就很不得了了，但是現在的小學生動輒讓父母或是祖父母，買三萬日圓的衣服，或是十萬日圓的手錶，零用錢也是拿一萬日圓大鈔。

有的小學生皮包裡隨時有兩萬日圓，比許多三、四十歲的上班族男人多，這些小學生主要是去拍大頭貼、到麥當勞，或是去唱卡拉ＯＫ，基本上手機通話費以及服飾還是父母買的。

日本現在已經開始出現有小ＬＶ族了，也就是小學生有十幾件的ＬＶ大小皮包，也用ＬＶ的各種飾品綁頭髮等，開始時是接收母親用過的ＬＶ，後來便自己開始拿壓歲錢等來買。這些小ＬＶ族收藏的ＬＶ還很講究，讓許多上班仕女族流口水呢！

不知道她們長大後的金錢觀會是如何？只能期待因此有思想上的大反動吧！像從高中起，便已經看ＬＶ生厭，大概只好找一位能供應自己繼續ＬＶ信仰的男人吧！從小將全副精力都投注在ＬＶ身上，不知道是否會有新的行業是適合她們的。

十幾歲高中生的手機費，有的大概每個月都是四萬日圓左右，也有人花到十萬日圓，還有人經常更換新機種，所以已經算不清楚一個月用在手機是多少錢。

有的女孩便會輕易去進行援助交際，也有男孩、女孩從事媒介援助交際的工作，等於是拉皮條。還有也曾發生過高一男生，以三萬五千日圓對一位初二的女生買春的事件。幾萬日圓單位的進出，對於初高中生而言，已經是很日常的事；這些未成年的孩子，拿到的錢都用在「維持人際關係」，大家一起玩樂，或是進貢給自己喜愛的人。如果爲了節省手機費而不主動打給人，馬上會穿幫，小氣鬼之名傳開而混不下去的！

所以大家的金錢感覺如此紊亂的原因，是對於景氣的不安、前瞻不透明所致，因此大家對於商品以及服務的共通行情的感覺發生動搖。

有的人將自己的判斷基準完全交給流行以及別人，如幼兒貴族教育以及美容沙龍等，有的人則要標榜自己雖窮，但是在這一點上絕對花得起。在這種時候，「絕對經濟觀念」是很重要的，如果不量入為出，或是有某種程度的合理性的話，很快生活便會出現破綻，成為多重債務人。

如果自己的金錢感覺與別人相差太多，最好不要一起為伍，否則會很痛苦的。像自己省吃儉用，卻買名牌服飾給毫無金錢概念的女人的話，其實是很浪費而無意義的，所以錢包裡不要裝太多錢，古老的金錢感覺就不會崩潰的。

上流社會的真相（上）

一般人越來越窮的現在，還是有許多有錢人，有些是新貴，有些是昔日豪門或是有專業才華等，他們的消費金額以及進出的地方，是一般進百圓商店等庶民難以想像的。

我最近幾年常常收到一些日本房地產的廣告，一看每棟都是六億日圓左右的公寓，不知道是不是這些房產公司對吾家的收入多算了好幾個零，否則怎麼會寄這麼多超級精美而賞心悅目的型錄來讓我做白日夢。

後來看電視才知道這些都還不是挺高級的，眞正高級的還有十二億日圓級的，因此即使日本不景氣，可是有錢人還是有錢人。一般人越來越窮的現在，還是有許多有錢人，有些是新貴，有些是昔日豪門或是有專業才華等，他們的

消費金額以及進出的地方，是一般進百圓商店等庶民難以想像的。不過庶民也有庶民的對抗手段，像是「一點上流」的方法等。

日本直到幾年前，幾乎所有的人都還自以爲自己是中產階級，所以有「一億總中流」的說法。

新階級社會已形成

但是現在這種說法已經變成幻想了，現在是越來越兩極化了。在媒體常常

出現許多「serebu」的名詞，也就是原本是名流的celebrity，現在已經成爲日本的「富裕」「豪華」，以及「優雅」的代名詞。

日本媒體一天到晚都在報導這些有錢人的生活，像是「serebu的休假日」，令人稱羨。不過日本型的貴族、名流，不像歐洲的階級社會。

因爲日本原本雖然有華族等貴族，但是在戰後均已經大致解體，還算是接近社會主義的平等社會，所以並不至於因爲生下的家世決定階級，與一般市民完全分開，只是形象上想接近歐洲的貴族，但是實際上是很像美國型的社會，依所得與社會地位成正比，也就是逐漸認錢不認人的另一種階級社會。

這也是因爲日本已經有十四年不景氣，所以大家都深信不疑的上班族的「安定」，已經瞬間崩潰了。取而代之的是，破產、倒閉、裁員、弱肉強食，以及實力（成果）主義的資金體系，所以貧富不均問題越來越嚴重，日本社會也只剩下高所得者與低所得者兩種。

現在日本企業因爲已經沒有餘裕來承擔過高的人事成本，即令現在日本的薪資平均所得都還是中國的卅倍，企業也開始覺得只要有部分優秀的社員就可以了，其他的只是湊數的。

這些企業菁英大概占企業的百分之一，只要眞的會賺錢，他們年薪達到三億日圓都無所謂，其他則六成年薪是百分之一，也就是三百萬日圓，然後約四成是勞務公司的非正式員工以及打工的人，年薪約一百萬日圓。

日本甚至預言在二〇〇七年時，非正式員工將會超過正式員工，所以今後日本將會更成爲1%的「上流階級」以及99%的「其他」，而且因爲這些年薪三百萬日圓以下的家庭，沒有錢讓孩子去補習或是請家教，所以階級的流動性越來越低，新的階級社會完全形成。

究竟這些日本新貴的「名流」過的是什麼樣的生活呢？最近富士電視公司一位女主播高木鬧不倫，她與一位有錢已婚新貴同居，兩個人共用四輛賓士車上班，而且他們其實也還有法拉利等車。所以此項八卦傳出時，相較於兩人的情事內容，一般人更關心他們過什麼樣的生活。

諸如此類好車、豪邸，以及手錶、珠寶、古董、美術品等蒐集品等，已經成了名流的象徵。因爲是新貴，所以有時還是不免會有些暴發戶般的行爲，如當場掏出兩億日圓在銀座的第凡內買一只鑽戒等，令人驚訝地合不攏嘴。

日本現在人口是一億三千萬，其中有廿四萬人，申告的年收入爲三千萬日圓以上。報稅額與實際可支配所得很不同，其中有些人年收數十億或是上百億日圓。像日本一位專唱動畫片主題曲的爵士歌手前川陽子，與經營數家醫院、餐廳、服飾店等的丈夫，過的便是令人稱羨的超級名流生活。

她的CD根本不計成本，自己策劃以及製作。因爲如果與唱片公司合作，則選曲等都要考慮銷路等，便不能製作出理想的CD，不僅事業上有餘裕依自己的構想，而且在實際生活上，住的是東京高級地區目白的豪邸。土地原本是德川家的，所以樹林庭園環繞，根本忘記這是在東京的正中央，然後愛車也是賓士、凱迪拉克等，其他還有雪鐵龍的XM、長身的班特萊等，無數的名車只有兩人用。然後除了車子之外，夫婦都愛蒐集手錶以及昂貴的和服，像是歐米茄錶便有七百多個，好多錶都是世界上只有幾個的。

日本的高齡化社會，讓許多醫院經營者發了大財，然後這幾年的美髮熱潮，也培養出一些美髮連鎖沙龍經營者新貴。此外傳統的有錢人，如醫生、律師、老舖企業的經營者，加上現在還有科技新貴、外資系的金融操盤師等，以及新的義大利餐廳或是塑身沙龍等連鎖店經營者。日本二〇〇三年收入排行榜前五十名之中，有廿幾位是與美容、整型等有關的經營者，反映了日本社會的流行。

這些新貴除了住在傳統的高級地區，如田園調布等之外，最近流行的是住在都心交通方便的3A地區，也就是地名發音從A開始的青山（Aoyama）、麻布（Azabu）以及赤阪（Akasaka）等，因為工作以及遊玩方便。

日本泡沫經濟時代流行的是「億（日圓）公寓」，現在反而流行「十億公寓」，所以最近野村房地產、三井房地產等，推出的都是十億以上，也有達十三億五千萬日圓的，像是四季集團在日本舊迎賓館的地皮上，蓋的南麻布的公寓，一百一十九戶都是數億日圓單位的高級公寓，其中便也有十二億七千萬日圓的，也幾乎已經全數售完。

雖說是十幾億日圓，在歐美都可以買到古堡，或是小島了，但是在東京還是只能買到一百坪的公寓，只是買主都覺得是泡沫經濟時代的半價，便爭相搶購。而且在尚未落成前便買了，原因是這些新貴早就有其他的高級住處或是別墅等，所以根本不急。他們所以買這些公寓，是因爲這都是在一些很特殊的地區，有參天綠林等，三井的高級公寓便是蓋在皇居附近櫻花名勝的千鳥淵。

這些新貴的夫人們消費的地方也很不同。她們一定都是用愛馬仕的皮包，嘴巴都是用外來語，像錢包叫wallet，孩子都學花道。平時也都只在白金一帶高級地區高級餐廳、俱樂部喝茶、聚餐；然後一年好幾次去國外旅行，喜愛的地方是紐約、巴黎以及米蘭。聖誕節的飾品是前一年便去丹麥等歐洲國家採購回來，或是爲了某次演唱會、歌劇而飛去觀賞，甚至爲了當季的美食、美酒而到法國去。冬天到歐洲去滑雪，因爲日本的不過癮。

我有一位朋友在瑞士面湖的地方有一棟別墅，在市販的風景明信片上都有印著呢。飛機當然都是頭等艙，到哪裡都是住四季飯店等五星級飯店，家裡有時也像歐洲家庭一樣，請小型樂團或是日本舞的名師來爲家庭宴會助興。宴會都是外包給名飯店來家中主廚，眞的羨煞只能以街頭星巴克當客廳的年輕人。

上流社會的真相（下）

看到有錢人與自己相差好幾個零的超豪華生活，便知道自己想像的高級，或是實際勉強打腫臉享受的高級，還是相距很遠的。自己的「一點豪華主義」或是「一點上流主義」的抵抗，其實是很無力的。

日本在幾年前，還有八成的人，自以為自己是「中產階級」。不過從世界標準來看，這八成的中產階級都不過是勞動階級。日本人一直相信：因爲階級制度廢止，所以日本應該是「大眾社會」，所以長年都沒有意識到日本社會有「上流」「中產」或是「下級」等社會階級的存在。

這當然與日本的社會保險制度還算健全，而讓人有安全感有關，不過現在年金制度或甚至健康保險制度，都出現破綻，許多人甚至繳不起費用等。日本社會出現極貧的另一個軸的極點，大家才發現不知道什麼時候上流社會早已經存在呢！

日本過去一直覺得美國社會事實上是階級社會，對於標榜「平等社會」的美國而言，「階級」是一個禁忌，還很同情美國人，或是其他第三世界社會。

日本人覺得自己生活都和別人一樣，都是中產階級時，其實是還滿幸福的。日本的中產階級住的是很窄小的兔窩，然後假日的重要娛樂是全家開車去採購平價商品等，不敢隨便請假，因爲很可能爲此丟掉工作。

與此相較，德國的中產階級生活相當有餘裕，週末到自己的別墅去，興趣是划船或是遊艇，一年休假四週，到國外去度長假。如果以實質內容而言，這簡直是日本上流社會做的事，所以日本的中產階級是禁不起國際比較的。

階級是被提醒的，尤其是現在媒體發達、競爭，煽腥容易犯法，但是報導有錢人的生活總沒錯，收視率都很高，在影像上也很有說服力。看到有錢人與自己相差好幾個零的超豪華生活，便知道自己想像的高級，或是實際勉強打腫臉享受的高級，還是相距很遠的。自己的「一點豪華主義」或是「一點上流主義」的抵抗，其實是很無力的。

上流社會的超豪華生活

這些有錢人家買的高級手錶，如Patix Philipe，一只最便宜是一百多萬日圓（一萬美元以上），貴的一只三、四千萬日圓（超過台幣一千萬以上的比比皆是），世界上也都是非常稀有的逸品，許多醫生以及律師等都會買，而且還缺貨，都在排隊等商社進貨。

對於現在年收入三百萬日圓的上班族而言，這種名牌的5074J型便要賣四一四〇萬日圓，也就是工作十二年多，不吃不喝不繳稅，才終於能買，所以等於是終身買不起，因此只好買只卡蒂亞的陽春型的坦克錶算數，算是自己沾上一流的味道。

東京地價昂貴，所以父親有沒有房地遺產留下，便決定階級。所以假設同樣年薪三千萬日圓，內容還是很不相同，有祖傳房地產的人，幾乎所有的所得都能花掉，而且他們還會說：「我穿戴高級的東西，並非是爲了炫耀，而是因為我已經習慣了，覺得舒服。」

不僅穿戴物品，其他像一輛一千萬台幣以上的超高級車，在日本也賣得非常好，例如克萊斯勒將德國戰前超高級車「我的巴哈」復古賣三千八百萬日圓，二〇〇三年四月在日本一推出，便瞬間達成一年一百輛的銷售目標，也就是一下子便賣了卅八億日圓。

其他還有些超高級的食品，如一個一萬多日圓的蛋糕、一盤兩萬日圓的咖哩飯，或是一杯一萬日圓的咖啡、三千日圓的拉麵等，雖說對於美食肯花錢的人很多，但是對於每天都喝羅多倫一百八十日圓咖啡、吃松屋三百日圓咖哩飯的人，還是要等中獎才會想去爽一下。

有錢人去上的幾家超市，如廣尾的明治屋或是麻布國際超市等，也就是日本高收入的演藝人員，如山口智子等常去的，我也常有機會去，不過只能買些特殊的調味料、茶葉等，而且提心弔膽地看價錢。如果眞的想買一家四口一天三餐的菜的話，一萬日圓根本不夠用。這裡還有青山的紀伊國屋，也都是店員非常親切地幫忙包裹、提菜。

有錢人在此地買菜根本不眨眼，也不看價格的。許多太太們結帳時，都是超過兩萬、三萬日圓，她們還說：「很便宜，因爲比在外面吃便宜多了。」她們生孩子，也就是在這一代的山王醫院、愛育醫院或慶應大學附屬醫院等。因爲慶大總是還是大學醫院，收費還算合理，因此我有不少朋友在那裡生小孩，也是沾點一流氣息。其他名流專用的山王醫院，則用的餐點是全套法國餐，與一般冰冷難以下口的醫院餐飲完全是兩個世界。

上流社會的一項重要定義是，除了擁有鉅額財產之外，還有維持財產的智慧以及將此種知識、智慧傳給子孫，讓他們也擁有財產。所以有錢人的孩子，從幼稚園開始便選慶應幼稚舍，甚至有醫生爲了想讓自己子女進幼稚舍，所以花了兩億日圓去走後門，後來因爲次女花了錢沒進成，才發現長子是靠自己實力進去的。

日本因爲推行教改，學校幾乎不管智育，所以知識更加封建化，結果現在東京大學都是有錢人在讀，家長平均年收爲全國第一。以前說「東大無美女」，但是現在正好相反，會打扮而且漂亮千金小姐出身的媽媽生的女兒也都很美。

上流社會的人都有別墅，而且第一多在輕井澤，其次是箱根、那須、湯河原、蓼科。同樣是輕井澤，在新開發較爲便宜而無百年老樹的北輕井澤的話，反而會遭瞧不起。

日本一流家庭象徵的鳩山家族等政治家，廣大而有歷史風味的洋樓以及庭園、森林的別墅都在輕井澤。

去輕井澤繞一圈，便知道日本是階級社會無誤。沒錢的人在輕井澤擠洋式民宿，在車站的輕井澤銀座（商店街）漫步，或是買點淺野屋的麵包，也覺得自己到輕井澤度假，其實反而顯得可憐。

有錢人連死也死得不同。現在沒錢人連墓地都買不起，所以還有利用網路墓園的。

有錢人用青山葬儀所或是築地本願寺、增上寺等，然後葬在櫻花名所的青山，或是染井墓園。結婚的話，一般人還能逞強，像是在帝國飯店，或是橫濱洲際飯店，可是就顧不到死後了。

當然眞正的上流階級，應該還要顧及對社會的責任以及貢獻。如果以這種定義來說，說不定日本沒什麼上流社會。只是在這一點上，在上流社會本家的歐洲，也不見得奉行得多好！

The Eurasian Publishing Group
圓神出版事業機構
用心與你對話．視野無限寬廣
方智出版社
Fine Press

http://www.booklife.com.tw　inquiries@mail.eurasian.com.tw

方智叢書 100

女人25後

作　者／劉黎兒
發 行 人／簡志忠
出 版 者／方智出版社股份有限公司
地　址／台北市南京東路四段50號6F之1
電　話／（02）2579-6600．2579-8800．2570-3939
傳　真／（02）2579-0338．2577-3220．2570-3636
郵撥帳號／13633081　方智出版社股份有限公司
副總編輯／陳秋月
主　編／呂燕琪
責任編輯／蔡盈珠
美術編輯／陳正弦
印務統籌／林永潔
監　印／高榮祥
校　對／呂燕琪．蔡盈珠
法律顧問／圓神出版事業機構法律顧問　蕭雄淋律師
印　刷／龍岡彩色印刷公司
2004 年 2 月　初版

定價 230元　ISBN 957-679-907-4

國家圖書館出版品預行編目資料

女人25後／劉黎兒著. -- 初版.
-- 臺北市 ：圓神，2004〔民93〕
面； 公分. --（方智叢書；100）

ISBN 957-679-907-4（平裝）

855 92023071

書活網 會員擴大募集！

我們很樂意為您的閱讀提供更多的服務，
現在加入書活網會員，不僅免費，還可同享圓神、方智、先覺、究竟、如何五家出版社的優質閱讀，完全自主您的心靈活動！

會員即享好康驚喜：

◆ 365日，天天購書8折， 會員專屬的5折起優惠區。
◆ 會員生日購書禮金100元。
◆ 有質、有量、有多聞的電子報，好消息主動送到面前。

心動絕對不如馬上行動，立刻連結圓神書活網，輕鬆加入會員！

www.booklife.com.tw

想先訂閱書活電子報！

【光速級】直接上網訂閱最快啦
【風速級】填妥資料傳真：0800-211-206；02-2579-0338
【跑步級】填妥資料請郵差叔叔幫忙寄遞
不論先來後到，我們都立即為您升級！

姓名：＿＿＿＿＿＿＿＿ 電話：＿＿＿＿＿＿＿＿
聯絡地址：＿＿＿＿＿＿＿＿＿＿＿＿＿＿＿＿
□想要收到最新的全書目　□我會自己上網瀏覽〔全部書目〕
常用email（必填·正楷）：＿＿＿＿＿＿＿＿
本次購買的書是：＿＿＿＿＿＿＿＿＿＿＿＿
本次購買的原因是（當然可以複選）：
□書名　□封面設計　□推薦人　□作者　□內容　□贈品
□其他＿＿＿＿＿＿＿＿＿＿＿＿＿＿＿＿
還有想說的話（贈品再好、內容再棒、選書再強、作者更俊美……）
＿＿＿＿＿＿＿＿＿＿＿＿＿＿＿＿＿＿＿＿
＿＿＿＿＿＿＿＿＿＿＿＿＿＿＿＿＿＿＿＿

服務專線：0800-212-629；0800-212-630轉讀者服務部

廣　告　回　函
北區郵政管理局登記 證北臺字1713號
免　貼　郵　票

圓神出版事業機構

方智出版社 收

105 台北市南京東路四段50號6樓之一
Tel : 02-25796600 Fax : 02-25790338

對折黏貼後，即可直接郵寄